AUTOBIOGRAFIA

7

JOANNA

CHMIE
LEW
SKA

Okropności

KOBRA
WARSZAWA
2008

Redaktor: **Julita Jaske**
Korekta: **Anna Pawłowicz**
Projekt serii: **Maciej Sadowski**
Typografia: **Piotr Sztandar-Sztanderski**

ISBN 978-83-61455-09-7

Wydawca:
Kobra Media Sp. z o.o.
skr. poczt. 33, 00-712 Warszawa 88
www.chmielewska.pl

Dystrybucja:
L&L Firma Wydawniczo-Dystrybucyjna Sp. z o.o.
80-298 Gdańsk, ul. Budowlanych 64 F

Dział handlowy:
tel. (0-58) 340 55 29, fax (0-58) 344 13 38
e-mail: hurtownia@ll.com.pl
infolinia: 0 801 00 31 10
www.ll.com.pl <http://www.ll.com.pl>
www.ksiegarnia-ll.pl <http://www.ksiegarnia-ll.pl>

Przygotowanie do druku: *Page Graph*
Druk i oprawa: ▮OPOL*graf* sa

Wszystkie osoby, obszczekane w niniejszym utworze, z góry najgoręcej przepraszam. Tych, którzy zdążyli przenieść się na lepszą stronę, uprzejmie proszę o niestraszenie po nocach.

Po dniach też.

Wielce skruszona
Autorka

Komu się nie podoba, może nie czytać. Naprawdę nie ma takiego przepisu, że koniecznie trzeba, a zaniechanie lektury zostanie surowo ukarane. Szczególnie, że ta akurat lektura, obawiam się, będzie ciężkostrawna.

Nie mam innego sposobu na przekazanie społeczeństwu całej poniższej treści, jak tylko w tej idiotycznej postaci. Nie będę czytać wszystkiego, co do tej pory napisałam, ponieważ od własnych przeżyć niedobrze mi się robi. A wpływu na przeszłość nie posiadam, nie dam rady zlikwidować osobistego zidiocenia, drugiej wojny światowej, Hitlera, minionego, chwalić Boga, ustroju, aczkolwiek może minionego nie całkowicie, ani też żadnych innych wydarzeń historycznych. Mam cichą nadzieję, że osoby odpowiednio młodsze wyciągną sobie ze mnie jakieś sensowne wnioski i na moich błędach czegoś się nauczą, chociaż doskonale wiem, czyją to mamusią jest nadzieja.

No dobrze, ale głupi ma szczęście, nie?

Do rozpoczęcia niniejszego utworu skłoniła mnie myśl, jak się okazało, błędna.

Otóż ci od wymiany wodomierza umówili się, że przyjdą przed trzecią. Znaczy, przed piętnastą. Wymiana wodomierza spadła na mnie znienacka, niczym grom z jasnego nieba, musiałam załatwić pilną i ważną sprawę przez telefon i wiadomo było, że załatwianie potrwa dłuższą chwilę.

Gotowa byłam głowę na pniu położyć, że zadzwonią mi do furtki dokładnie w środku załatwiania, odczekałam zatem odpowiednio długo, doskonale wiedząc, że punktualność jest w naszym narodzie ciałem obcym, a znaczenia słowa większość ludzkich jednostek musi szukać w encyklopedii. O szesnastej trzydzieści zadzwoniłam, zaczęłam załatwiać, cały czas zastanawiając się, co zrobię, jeśli mi przerwą w połowie i, ku mojemu zdumieniu, załatwiłam do końca bez przeszkód, a ci od wodomierza w samym środku nie przyszli. Przyszli później.

Nie do pojęcia.

W czasie oczekiwania i zastanawiań rozważałam kwestię przypadkowości zjawisk międzyludzkich, skojarzenia ruszyły Niagarą, w rezultacie zaczęłam to pisać i niech wszyscy do nich mają pretensję. Do tych od wodomierza. Dosyć mam odpowiedzialności za błędy całego świata! Za własne również.

☆ ☆ ☆

Właściwie wszystko razem powinno nosić tytuł:
STARY POTWÓR.
Ponieważ
Byłam starym potworem.

I niech mi się tu nikt głupio nie natrząsa, skąd ten czas przeszły, bo przecież nadal jestem. No to co, że jestem? Ale przynajmniej wiem o tym i bardzo staram się nie być.

Mam wrażenie, że z nader miernym rezultatem...

I oczywiście rozwinę ten temat obszerniej i ekspiacyjnie, być może kawałkami, ale jednak, bo dopiero teraz widzę, jak wspaniale mi to potworstwo wychodziło. O, nie ograniczajmy się, byłam także młodym potworem, a jeśli niekiedy przypadkiem urocza cecha przycichała, to tylko z braku czasu.

☆ ☆ ☆

Jednakże zacznę od najgorszego, chociaż pierwotnie wcale nie miałam takiego zamiaru. Wiem, że wszystkich Czytelników okropnie zdenerwuję, ale nie ma siły, ukrywam to już półtora roku i dłużej nie mogę. Nie odczepię się od Alicji, dopóki tego wszystkiego nie napiszę, szczególnie, że zakończenie było w pełni jej godne. Wyjaśnienia ustne przez gardło mi nie przejdą.

ALICJA.

Kiedy pisałam o dewastacji jej ogrodu, jeszcze żyła. Umarła szóstego maja 2006 roku i była dla mnie tak ważna, że nie zgadzam się uwierzyć w jej śmierć. Nieprawda, wcale nie umarła, wyjechała na kurację do Szwajcarii i po prostu stała mi się chwilowo niedostępna, bo do tak górzystego kraju z pewnością sama osobiście nie pojadę. Nie dawało się z nią w pełni porozumieć już od dwóch lat, kontakt bezpośredni prawie nie istniał, nie istnieje nadal, ponieważ tkwi w tej Szwajcarii, i właściwie wielkiej różnicy nie ma. Jak dla mnie żyje i cześć. I będzie żyła do sądnego dnia.

Kto powiedział, że była aniołem? Nic podobnego, nie była. Miała mnóstwo wad, bywała nieznośna, irytująca, fanaberyjna, uparta, zalety chwilowo pomijam, i z tym wszystkim była Człowiekiem. W pełnym zakresie CZŁOWIECZEŃSTWA.

Dla mnie zrobiła więcej, niż ktokolwiek inny. Nie mam pojęcia, jak wyglądałoby moje życie, a co najmniej zdrowie, gdyby nie wyciągnęła mnie z Polski w chwili najgłębszego impasu. Wyszłabym z niego niewątpliwie, ale kiedy, jakim kosztem i z jakim rezultatem? I czy rzeczywiście na pewno...? Sama zaledwie zaproszona do Danii, jeszcze bez mieszkania i bez pieniędzy, załatwiła mi zaproszenie, doskonale wiedząc, że nie mam nic i niczego nie zdołam jej zwrócić. Razem mieszkałyśmy w pralni państwa von Rosen i żyłam za jej pieniądze, dzieliła się ze mną czymś, czego jej samej brakowało, chociaż już po tygodniu dostałam normalną pracę w biurze projektów. Pracę tak, ale pieniędzy nie, ponieważ nie miałam zezwolenia na pracę i pan profesor Suenson wolał nie ryzykować. Alicja poprzez pana von Rosen załatwiła mi to zezwolenie, ja zaś byłam przy tym niecierpliwa, nietaktowna i możliwe, że nawet niekiedy kompromitująca, z niepokoju i z rozpaczy. Alicja zniosła wszystko.

W „Krokodylu z Kraju Karoliny" napisałam prawie całą świętą prawdę, co potwierdziła zachowana korespondencja. W nerwach żyłam przeraźliwych.

W momencie uzyskania pracy początkowe darowizny przekształciły się w pożyczki, które jej, rzecz jasna, zwróciłam, kiedy tylko dostałam zalegającą pensję. Wcale nie jestem pewna, czy zwróciłam jej wszystko, niewątpliwie jakieś koszty poniosła nieodwracalnie, nie wyliczała przecież każdego kawałka pożywienia, jakie do gęby wzięłam. Z całej siły starałam się później już jej nie obciążać, ale nawet starania były dla mnie możliwe wyłącznie dzięki niej. Do dziś dnia odbieram to jako uratowanie mi życia.

Kłóciłyśmy się miliony razy. O politykę, o obcych ludzi, o historię, której Alicja nie cierpiała, o znajomych, o policję, diabli wiedzą o co jeszcze. Przenigdy nie kłóciłyśmy się o sprawy nam niejako fizycznie najbliższe, o gospodarstwo domowe, o niepozmywane talerze, o zajęte krzesło, o bałagan, ogólnie biorąc o siebie bezpośrednio. Żyłyśmy w warunkach mieszkaniowych urągających wszystkiemu, i nigdy nie przyszło nam do głowy, żeby na tym tle mieć do siebie wzajemnie jakiekolwiek pretensje, a zdaje się, że jest to sztuka rzadko spotykana. W tym miejscu tolerancja aż nam uszami tryskała, jak dla mnie, mogła hodować w tej pralni białe myszki i małego słonia, duży by się nie zmieścił, mogła palić fajkę i cygara, mogła te cholerne talerze chować pod łóżkiem albo wyrzucać przez okno, ona zaś miała najdoskonalszą pewność, że kto jak kto, ale ja jej porządków w domu robić nie będę.

Musiało jej dokopać grono najbliższych przyjaciół i znajomych, bo później to nawet sprawdziła. Już po śmierci Thorkilda, kiedy mieszkała w Birkerød, za którymś pobytem zostałam u niej w domu sama, Alicja gdzieś pojechała na kilka dni, może do Lund, może do Malmø, nie pamiętam. Wróciła.

W owym czasie nie życzyła sobie, żeby wchodzić do jej pokoju. Nawet, żeby zaglądać. Nie to nie, jej sprawa, łatwo można było domyślić się, że robi tam swój osobisty bałagan, którego nie ma ochoty nikomu pokazywać, ale mnie jej bałagan nigdy nie przeszkadzał i mogła robić dowolny. Sama przy odrobinie wysiłku umiałabym zrobić taki sam i też nie chciałabym, żeby mi się ktoś wtrącał.

Zaraz po jej powrocie wynikło z rozmowy coś takiego... może jej coś zginęło...? Czegoś nie mogła znaleźć...? Zgubiła w swoim pokoju...? Wyskoczyła jakaś kwestia otwartego okna...? Nie pamiętam.

...że powiedziałam:

– Nie wiem. Ja do twojego pokoju nie wchodziłam. Nie życzyłaś sobie, więc nawet nie otwierałam drzwi.

– Wiem – odparła na to Alicja.

Zaciekawiłam się.

– Skąd wiesz?

– Zabezpieczyłam się. Wiem, czy ktoś otwierał drzwi i wchodził do mojego pokoju.

Nawet się nie poczułam urażona, raczej ogarnęło mnie politowanie.

– Ty kretynko, a myślisz, że bez twoich zabezpieczeń ja bym weszła?

– Nie – wyznała Alicja tonem możliwe że odrobinę przepraszającym, niepotrzebnie zresztą. – Teraz już na pewno wiem, że ty nie. Ale to nie było przeciwko tobie, tylko ogólnie.

Chciała żyć po swojemu. Nienawidziła przymusu i ograniczeń. Wyjechała z upiornego i nieludzkiego ustroju nie po to, żeby opływać w dostatki, tylko po to, żeby czuć się człowiekiem. Wolnym. Swobodnym. Decydującym o sobie. Całkowicie samodzielnym. Istniejącym w ustroju ustabilizowanym, uczciwym, rzetelnym, szanującym jednostkę ludzką, bez łgarstwa, obłudy, fałszu i gniotu psychicznego. Nienawidziła łgarstwa i krętactwa. Nienawidziła uzależnienia.

– Wiesz, gdzie ja mam zarobki? – powiedziała do mnie w jakimś momencie, nie pamiętam w jakim, więc nawet za ton nie mogę gwarantować. Wzgardliwy? Wzburzony? Pełen politowania…? – Mogę tu mieszkać pod mostem i żreć obierki od kartofli, bo nikt mnie nie oszukuje. I nikt mną nie rządzi. A pieniądze mam gdzieś.

Była opanowana pod każdym względem w stopniu godnym podziwu, to ode mnie nauczyła się od czasu do czasu robić awantury i ze zdumieniem stwierdziła ich skuteczność, co mi wyznała jeszcze w BLOK-u, zresztą chichocząc, bardzo rozśmieszona. Nigdy natomiast nie ujawniała własnego stanu ducha, i nie ujawniłaby nawet, gdyby przed nią widniały stopnie szafotu. Nigdy nie wylała przy ludziach ani jednej łzy. Szczytowy stres i maksymalne zdenerwowanie mogły się w niej objawiać wyłącznie tym, że była trochę zła i miała nieco mniej cierpliwości. I tyle, nic więcej.

Tak się złożyło, że byłam u niej, kiedy miała drugą operację polipa piersi, a w jakiś czas później operację drugiego oka. Niepewna rodzaju polipa, okaże się nowotworem złośliwym czy nie, nie ujawniła żadnego zdenerwowania, o możliwości napomykała spokojnie i nie z własnej inicjatywy, z reguły ktoś inny bąkał jakieś głupoty, egzystencja toczyła się normalnie, jakby szła wycinać odciski. Zero emocji. Potem, długo potem, zdecydowała się na tę okulistykę. Pierwsze oko przeszło bezboleśnie, drugie się paskudziło. Nie znam osoby, która w podobnej sytuacji potrafiłaby usunąć siebie, swoje zagrożenie wzroku, swój ból, dyskomfort, uciążliwości leczenia, na tak daleki margines. Złożyło nam się wspaniale, ona miała oko, a ja złamane żebro, odszczepione w dodatku, nie pozwalało mi oddychać, wściekle kłuło, dwie inwalidki. Chyba znosiłam swoje żebro gorzej niż ona swoje oko, ale, mimo wszystko, żebro, niech je piorun strzeli, nie zmniejszyło mojego podziwu dla niej.

Miała w sobie coś, co dla wielu ludzi stanowiło rodzaj azylu psychicznego i materialnego. Miała chęć... a może nawet przymus...? przychodzenia z pomocą. Jej pierwszym, niekiedy zgoła idiotycznym odruchem było: dopomóc w kłopotach, wysłać pieniądze, dać wikt i opierunek, zaprosić do siebie. Co najmniej w połowie wypadków wychodziła na tym jak Zabłocki na mydle, Maja Rutkowska, zwierzę z pralni, pasożyt, mamusia Marioli, Pawełek, psychopata, Kacper z żoną, wymieniam tylko tych, których znałam, innych już dokładnie nie pamiętam, o, Agata, słyszałam o wielu. Waliłam się pięścią w czoło, kiedy Alicja mi o nich opowiadała. Do końca życia pod tym względem była niepoprawna. Niereformowalna.

Przy całej swojej tolerancji, niektórych cech ludzkich nie trawiła, a niektórych nie pojmowała.

Nie trawiła skłonności do histerii, a nawet nieopanowania, znerwicowania. Przesady w uczuciach, nawet uzasadnionej. Pojęłam to dokładnie i zdołałam sprecyzować sobie słowami, kiedy nam Robert zginął. Mój syn, od ośmiu lat nie widziany. Powtarzam się, wiem, ale nie mogę się powstrzymać, może ktoś nie czytał. Wiedziałyśmy, o której godzinie wylatuje z Paryża, o której ląduje w Kopenhadze, obie znałyśmy doskonale drogę z lotniska do Birkerød i czas przejazdu, wiedziałyśmy, że ma przyjechać taksówką i ma na to dostateczną ilość pieniędzy, a gdyby nawet nie miał, ja miałam i mogłam zapłacić na miejscu, o czym z kolei on wiedział. Kiedy spóźniał się już godzinę, zaczęłam sprawdzać. Samolot z Paryża wyleciał prawie o czasie, z dziesięciominutowym opóźnieniem, z takim samym opóźnieniem wylądował w Kopenhadze, żadnej katastrofy nie było. Na litość boską, gdzie się podział? W końcu jest to mój syn, wolałabym wiedzieć, co się z nim stało, przez pomyłkę poleciał do Tokio? Był na liście pasażerów, czy nie?

Wszystkie te czynności zresztą wykonywała Alicja ze względu na język. Pod moim wpływem siedziała przy telefonie, wymyślałam kolejne źródła wiedzy, gmerałam w książce telefonicznej, a ona dzwoniła, niechętnie, ale cierpliwie.

Nie miotałam się po całym domu, zrzucając kwiatki i przedmioty martwe, nie rwałam włosów z głowy i nie lałam łez, zwyczajnie zastanawiałam się, jak sprawdzać i do jakiej instytucji dzwonić. Naprawdę dokładnie wiedziałam, jak długo jedzie się z Kopenhagi do Alicji i pojąć nie mogłam, gdzie się cholernik pałęta.

Spóźnił się przeszło dwie i pół godziny, ponieważ z ciekawości, turystycznie, pojechał komunikacją miejską i państwową. Nie przyznał się wcześniej do pomysłu w obawie, że mu zabronię.

No i Alicja później powiedziała:

– Ale muszę przyznać, że prawie wcale nie histeryzowałaś. Tak się zachowałaś, że właściwie można to znieść. Zosia by tu już chyba konwulsji dostała.

Na marginesie: jej Zosia, matka Pawła, nie moja synowa, która tylko dzwoniła z Paryża z grzecznym pytaniem, czy Robert już dojechał i równie grzecznym komunikatem, że obie z Moniką nie pójdą spać, dopóki on się nie znajdzie.

Co tu ukrywać, Alicja miała rację. Cokolwiek się stało, głupie krzyki, głupie gesty, głupie szlochy i omdlenia w najmniejszej mierze nie pomogą. Jeśli już cokolwiek robić, to po zastanowieniu uzyskiwać informacje z właściwych źródeł i cześć. Stres wypchnąć z siebie jakimś innym sposobem. Między nami mówiąc, po moim mężu i dzieciach miałam w tym dużą wprawę. Jej poglądy na tego rodzaju emocje wynikały z tego, że nie rozróżniała stosunku uczuciowego do osób bliskich i obcych. Dla niej istniała SPRAWIEDLIWOŚĆ.

Być może, wpłynął na to fakt, że nie miała własnych dzieci, a Thorkild zbyt krótko żył, żeby wejść tym przekonaniom w paradę. Nie pojedzie się na Sybir za znajomym człowiekiem, pojedzie się za ukochanym mężem, co wielokrotnie udowodniła historia. Sentymentalizmu Alicja również nie znosiła, ale za Thorkildem kto wie...? Nie było okazji. Może jej się tylko wydawało, że wszyscy ludzie w obliczu jej uczuć są równi?

Zdarza się, że ktoś z przyjaciół jest człowiekowi bliższy niż własna rodzina. Zdarza się, że człowiek myli się w ocenie siebie samego. Też się o to kłóciłyśmy, z tym, że na spokojnie, bez ognia, za to z uporem. Trwałam na stanowisku, że raczej dam swojemu dziecku, które na to nie zasługuje, niż komuś obcemu, kto potrzebuje i zasłużył, ale co z tego, dziecko mi bliższe. Alicja była przeciwnego zdania, obcy, nie obcy, potrzebuje bardziej, zatem elementarna sprawiedliwość wymaga, żeby dać jemu, a dziecko niech się wypcha.

Wychowana w duchu egoizmu i egocentryzmu, od Alicji nauczyłam się myśleć o innych ludziach. Znałyśmy się czterdzieści pięć lat, przez ten czas nawet do skończonego kretyna coś by dotarło. W całym swoim niesłusznie potępianym bałaganie Alicja przechowywała rzeczy dla niej kompletnie bezwartościowe, ale innym mogące się przydać. Nie byłam jedyną osobą, która dostała przedmiot, dla siebie zgoła bezcenny, motki czerwonej wełny na kilimy.

– A widzisz – wytknęła mi wtedy. – Na co ci to i na co ci to, głupie gadanie, mnie na nic, ale komuś innemu potrzebne. Ustawicznie ktoś przyjeżdża i wzdycha, że na pewno nie mam takiego małego wichajstra, bo mu wyleciał i szlag trafia okulary, lornetkę, aparat fotograficzny czy cokolwiek innego. A ja właśnie mam wichajster, proszę bardzo. To dlaczego mam wyrzucać?

Zdaje się, że spytałam ją ze szczerym zainteresowaniem, czy przypadkiem nie ma sztucznej szczęki, pamiętna tego, że mój ojciec trzymał w szufladzie biurka cztery sztuczne szczęki.

– Może by się i znalazła – odparła Alicja. – Tylko nie wiem, czy byłaby dopasowana. Potrzebna ci?

Nie była mi potrzebna, ale myśl o tych innych, którym coś może się przydać, zrozumiałam. Szacunek dla innych ludzi, uwzględnianie potrzeb innych ludzi, drobiazg bodaj, ale dla innych użyteczny. To od niej się tego nauczyłam, chociaż do końca jej życia byłam zdania, że ona idzie w tym za daleko. Daje więcej, niż ją na to stać. Mnie też dała więcej niż ją było stać i dlatego później, nie od razu, z czasem, wszelkimi siłami, subtelnie i podstępnie starałam się jej to rekompensować tak, żeby nie zauważyła. Nie zauważyła z pewnością, gdyby zauważyła, dałaby mi po mordzie i wyrzuciła na zbity pysk ze swojego domu.

O, nic wielkiego, wielkie by dostrzegła. Karmiła swoich gości, no to przecież, na litość boską, po tym wszystkim co powyżej, nie mnie! Robiłam zakupy dla siebie, bo tak mi się podobało, co uwzględniała, chcę w Danii żreć ruski czarny kawior, proszę bardzo, wolno mi... na marginesie: nie upadłam na głowę do tego stopnia, żeby w Danii żreć ruski kawior... ale jakieś inne rzeczy, krewetki w sałatce zamiast kupić mrożone, chcę latać do Irmy, do Brugsena, albo do kupca zamiast do Netto, też proszę bardzo, mam prawo do fa-

naberii, wzruszała ramionami i najwyżej pukała się palcem
w czoło. Przy okazji robiłam zakupy i dla niej, na jej życzenie posłusznie przynosiłam potem rachunek, i ten rachunek, chwalić Boga, bardzo szybko ginął. Nigdy nie dała mi
szans zapłacić za wodę, za ropę, za światło, ale w codzien-
nym życiu robiłam, co mogłam. Uczciwie mówiąc, mało.
Przyjeżdżałam do niej, kiedy chciałam i kiedy mogłam,
rzadko dając jej szansę na wygłoszenie zapraszających słów
i zachęcającego pytania:
– Kiedy przyjedziesz?
I zawsze brzmiało to tak, jakby życzyła sobie mojej wizyty. Tymczasem, przyjechawszy, zachowywałam się jak
świnia, a przynajmniej starałam się usilnie zachowywać
jak świnia.
Brało się to stąd, że obie miałyśmy tę samą cechę, mianowicie we własnym domu chciałyśmy mieć poranek dla
siebie. Wstać bez słowa, rozlaźle i powoli, żadnych rozrywek towarzyskich, przyrządzić sobie ulubiony napój, ona
kawę, ja herbatę, posiedzieć nad tym napojem, bezmyślnie
gapiąc się na świat, bez pośpiechu przystosować się do życia, może nawet coś zrobić, trochę sprzątnąć ze stołu,
oczyścić parę popielniczek, powtykać naczynia do zmywarki, niektóre ewentualnie opłukać...
I kompletnie wylatywało mi z głowy, że ona jest u siebie, a ja u niej. Wstawałam wcześniej, żeby osiągnąć swoje, ale Alicja wstawała jeszcze wcześniej w tym samym celu, w rezultacie obie, jak idiotki, zrywałyśmy się bez mała
o świcie bez żadnego sensu. Po latach dopiero przyszło mi
do głowy, że jej robię koło pióra i gdyby mnie ktoś wywijał
uparcie takie numery w moim własnym domu, wygoniła-
bym go w diabły. Nawet Martusię, rannego ptaszka, przy-
uczyłam, że o poranku ma być cicha i bezwonna, i wręcz
boi się wychodzić z gościnnego pokoju, dopóki na narobię
jakiegoś rumoru na dole.
A Alicja znosiła to wszystko bez słowa...

Od lat wszyscy wiedzieli, że Alicja swoje sprawy zaniedbuje skandalicznie, cudze załatwia koncertowo. O swoich zapominała albo jej się nie chciało, dla cudzych miała i czas, i pamięć, i siły. Można było na nią liczyć z zamkniętymi oczami. Jeśli ktoś potrzebował pomocy, leciała z nią z poślizgiem i ze szkodą dla siebie.

Nie pojmowała natomiast ludzkiej głupoty. Narwała się na tę zwykłą, ludzką głupotę nieprzeliczoną ilość razy. Denerwowało ją to. Nie rozumiała zjawiska. Tłumaczyłam jej, jak sołtys krowie na miedzy, że nie odgadnie, co ten ktoś myślał, bo on po prostu nic nie myślał. Nie docierało do niej. Tłumaczyłam, że inteligencja z głupotą niewiele ma wspólnego, no i co z tego, że Stasia jest inteligentna i ma poczucie humoru, skoro zarazem jest zwyczajnie głupia. Bez skutku. Za każdym razem przy zetknięciu z głupotą była zaskoczona, i za każdym razem ze szkodą dla siebie, moralną i materialną. Wydziwiała nad efektami głupoty jak... bo ja wiem, nad niepalnym węglem, nad ciepłym śniegiem, nad czymś, co jest w ogóle niemożliwe. Nie brała nigdy żadnej poprawki na głupotę, nie zakładała jej a priori, nie przyjmowała do wiadomości. Chyba nie zgadzała się na jej istnienie.

Panowała nad uczuciami na rzecz racjonalizmu. Umiała je okiełznać, ponieważ działał jej umysł. Dawno minęły czasy, kiedy postanowiła uciec z Zenkiem... no dobrze, wedle „Wszystkiego Czerwonego" z Edkiem... źle widzianym przez jej matkę, ponieważ był pijakiem, a przygotowała się do tej ucieczki, zabierając ze sobą jasiek i flachcążki. Czekała na amanta w oknie z bagażem w ręku, amant nie przybył, bo się urżnął i o romantycznych wyskokach zapomniał, opowiadała mi o tym później, a łzy jej ciekły ze śmiechu.

I potrafiła trzeźwo ocenić sytuację i zrezygnować z alkoholika, drwiąc z kretyńskich nadziei „jak się ożeni, to się odmieni", aczkolwiek sentyment do niego został jej na długo. Umiała opanować sentyment, a wszystkie wiemy, jak to łatwo. Cześć jej za to i chwała, a ja jej nawet zazdroszczę. Tak naprawdę ostatnią miłością jej życia był ogród. Nie jestem pewna, czy nie największą. Wcześniej z przyrodą i roślinami nie miała do czynienia do tego stopnia, że kiedyś, jeszcze w BLOK-u, powiedziała do mnie, nieco, zdaje się, rozdrażniona:

– Od dziesięciu lat nie miałam szans usiąść gołym tyłkiem na mokrej trawie.

Fakt. Mimo że byłam od niej równo dziesięć lat młodsza, o czym zresztą zapominałam kompletnie, Alicja nie miała wieku, tryb życia prowadziłyśmy mniej więcej jednakowy. Pamiętam dzień, kiedy zastanawiałyśmy się co kupić, chleb czy papierosy, na oba elementy brakowało nam pieniędzy. Alicja zdecydowała się na papierosy, ja, niestety, miałam w domu dzieci, kupiłam pół chleba. Trochę to może było symboliczne, ale przerażająco zbliżone do twardej rzeczywistości. Mnie zdarzało się znaleźć w plenerze, głównie przez dzieci, jej nie. Ja wieś i ogród znałam doskonale, ona nie. Do głowy jej nie przychodziło, że mogłaby grzebać w ziemi.

Po śmierci Thorkilda w ciągu dwunastu lat z owych gór ziemi po wykopach zrobiła arcydzieło. Zainteresowała się, zaciekawiła, zdobyła wiedzę, miała szczęśliwą rękę, zaczęła beznadziejnie, nietaktownie wytknęłam jej, że wysokich roślin nie sadzi się na froncie, bo zasłaniają całą resztę, prychnęła na mnie, ale od następnego roku wysokich roślin na froncie nie było. Duńska prasa przyjeżdżała robić zdjęcia ogrodu Alicji. Rozumiem, że akantus długolistny był jej dostępny, ale skąd, na litość boską, wzięła imbir trujący? Tę malutką kępeczkę u siebie mam od niej, a szukałam go po całej Europie, różne ośrodki ogrodnicze w życiu o nim nie słyszały, chociaż operowałam wszystkimi językami, dostępnymi w słownikach, z łaciną na czele! Chodzę koło niego jak koło śmierdzącego jajka, chronię przed kotami, podsypuję ziemią kompostową, no i co z tego, u Alicji rósł pięć razy lepiej. A może dziesięć. Kochała swój ogród. Własnoręcznie odwaliła w nim wielką robotę i dopiero ostatnio zaczynam ją dobrze rozumieć. W taczkach leżała roślina do posadzenia, na ogrodowym stole leżała gałązka z nasionami, Alicja patrzyła na to, siedząc w kuchni i mówiła, co trzeba zrobić. Dziwiłam się, że tylko mówi, a nie robi, przecież to proste, wziąć łopatę, podjechać taczkami, wetknąć roślinę w ziemię... Postępuję dokładnie tak samo, patrzę przez okno, myślę, że ten patyk trzeba uciąć i na myśleniu się kończy.

Prawdę mówiąc, złapałam się na tym nagle. Rany boskie, robię to samo co Alicja, o, nie! Podniosło mnie, możliwe, że z lekkim wysiłkiem, znalazłam sekator, ucięłam patyk, zajęło mi dwie minuty.

W ostatnich latach po prostu nie miała już siły. Ogród rozrastał się w dżunglę, ale jak piękną dżunglę! Kwitło jej wszystko, akantusy, juki, krzewy, ten imbir cholerny, poziomki owocowały, pnąca róża przerosła jabłoń...!

A propos jabłoń.

Przyjechałam do niej w sierpniu, tuż przedtem skądś wróciła, nie pamiętam skąd, może z Norwegii, może z Islandii. Zaraz po moim przyjeździe powiedziała, chichocząc:

– Coś ci jutro pokażę.

– Dlaczego jutro? – zainteresowałam się. – Dlaczego nie dziś?

– Bo ciemno.

Pokazała nazajutrz, zresztą nie było nawet potrzeby pokazywania, rzucało się w oczy. Tuż przy tarasie wielka góra białego kwiecia na ogromnej, starej jabłoni. Zdumiałam się.

– Rany boskie, a to co?

– No więc właśnie. W pierwszej chwili, powiem ci szczerze, zastanowiłam się czy jestem normalna, może mam halucynacje, może pomyliłam pory roku, może urżnęłam się trwale albo co, nie było mowy o żadnych anomaliach przyrodniczych, a u mnie jabłoń kwitnie w sierpniu. Na wszelki wypadek zrobiłam temu zdjęcie, a potem poszłam popatrzeć z bliska. Popatrz z bliska.

Popatrzyłam nie tyle z bliska, ile uważniej. Całą wielką jabłoń obrosła pnąca róża o dość drobnych białych kwiatach i wyglądało to zupełnie tak, jakby kwitło drzewo. Tak rozszalałej pnącej róży nie widziałam nigdy w życiu, zwieszała się z górnych gałęzi!

Nawet zielsko było śliczne, zabraniała pielić racjonalnie, wolno było wyrywać tylko perz i mlecze. Zaczynam u siebie mieć to samo, z tym, że mniej piękne i u mnie do wyrywania dochodzą jeszcze rdesty.

Przetrzymała nawet racjonalną działalność Stasi, o której już napomknęłam w podpisie pod zdjęciem, jeden raz zresztą, bo Stasia zabroniła mi pisać o niej dopóki żyje, ale nie żyje już dawno. Cudo, opiekuńcza, złote serce, po śmierci Thorkilda cackała się z Alicją jak ze śmierdzącym jajkiem, ale na ogrodnictwie się znała i miała, niestety, swoje ustabilizowane poglądy. Ukradkiem usiłowała wprowadzać je w życie, grządki warzywne to mięta i pryszcz, gorzej, że wyrwała różę szlachetną, świeżutko przez Alicję zaszczepioną na dziczce, no bo dziczki się wyrywa. A Alicja je szczepiła ze skutkiem znakomitym. Tyle że rzadko, bo jest to straszliwa, zegarmistrzowska robota, której sama w życiu bym się nie podjęła. Alicja lubiła dłubaninę, sprawdziła, że się przyjmuje, niestety, drugą czy trzecią kolejną Stasia jej usunęła.

No i proszę, nie zabiła jej. Złego słowa nie powiedziała, chociaż o mało jej szlag nie trafił.

I ciągle miała nadzieję, że kiedyś zdoła wszystko zrobić, uporządkować, wyrwać, zasadzić, opanować orgię roślinną. Wciąż jeszcze coś robiła, odrobinę ledwo, ale jednak, a tulipany kwitły jej na wiosnę same z siebie. Nadzieja trzymała ją przy życiu.

To samo było w domu. Ile się nasłuchałam u niej o konieczności umycia okien, ludzkie pojęcie przechodzi. No owszem, zgadza się, do okien nie było dostępu, kwiaty znajdowały się także w domu, cały wał dracen, asparagusów, bluszczu, kaktusów, paproci, miała Królową Nocy, która kwitła, storczyki, także kwitnące, nie wiem co tam jeszcze szalało, ale wszystko to tworzyło klimat, urok, stanowiło o wdzięku pomieszczenia. Że pod tym leżały wielkie kupy papierów...? No i cóż takiego, papiery rzecz ludzka, może i byłam zdania, że części tego należałoby się pozbyć, ale Alicja ciągle miała nadzieję, że przed wyrzuceniem przejrzy, sprawdzi, wykorzysta...

W ostatnich latach żyła nadzieją, że jeszcze da radę.

Też żyję nadzieją, że jeszcze dam radę, rozumiem ją zatem doskonale...

Miała wady, kto mówi, że nie? Obiektywnie biorąc, była pamiętliwa, mogła wypominać coś komuś długie lata, żadna przyjemność dla tego kogoś. Nie udawała zainteresowania nawet z grzeczności, jeśli jej coś nie obchodziło, a temat ciągnął się zbyt długo, nie słuchała co się do niej mówi, spokojnie myślała o czymś innym i było to wyraźnie widoczne. Powiedziała do mnie kiedyś:

– Nareszcie żyję w zgodzie ze sobą.

Nie powinno się tego zaliczać do wad, w końcu był to wynik bezkompromisowej uczciwości i do życia po swojemu miała pełne prawo, ale jakże uciążliwe dla innych! Odbierane niekiedy jako obraźliwe, jako przejaw lekceważenia, jako świadomie wyrządzana przykrość, jako, krótko mówiąc, wada. Bałaganiarstwo, wielkie mecyje, dla kogo wada, dla kogo nie. W jej szaleństwie istniała metoda, zostawiała sobie rzeczy, z którymi zamierzała później coś zrobić, nie miała kiedy, nie nadążała, uporne kupy i pudła zawierały w sobie określoną treść, jej znaną, czekającą na zużytkowanie. Było coraz gorzej i przypuszczam, że stopniowo traciła siły, do czego może nawet przed samą sobą nie chciała się przyznać. Wciąż zamierzała wysiać tę cholerną ostróżkę z pudła po telewizorze, przejrzeć prospekty, uporządkować dokumenty, oczyścić i posegregować cebulki, podsypać nawóz, przyciąć krzewy, ułożyć zdjęcia... I wszystko jej wchodziło w paradę, ceramika, podróże, goście, nadmiar zainteresowań i własna cecha: nieumiejętność porządkowania.

Bo to też trzeba umieć. I lubić. Nie umiem i nie lubię tak samo jak ona i dlatego dziś już rozumiem ją dokładnie. Roztargnienie. Brak dyscypliny myśli. Umiała się na nią zdobyć w razie potrzeby, oczywiście, ale z tak wielkim wysiłkiem, że już nie chciała. Puściła myśl luzem i w dwie sekundy zapominała, co trzyma w ręku i gdzie to zamierza położyć, kładła byle gdzie, bo już myślała o czymś innym, po prostu pozwoliła sobie na taki luksus. Rezultaty wszyscy widzieli, wyszła z tego zatem potężna wada.

Pewnie, że bywała nieznośna i denerwująca. Nie wysilała pamięci, potrafiła zapominać i mylić wydarzenia i osoby, ale widać było, że wypycha z siebie irytację i nie zważa do kogo. Obsobaczyła mnie za Dagmar, za Krystynę, oburzyłam się wtedy, teraz widzę, że niepotrzebnie. Uparta była jak kozioł w kapuście i nie cierpiała przyznawać się do pomyłki, z wiekiem coraz bardziej, wysiadały jej siły i zdrowie, a wyglądało to na pogorszenie charakteru.

Chciała więcej niż mogła. Nie osiągała już tego, na czym jej zależało, więc tym bardziej w nosie miała to, co nie interesowało jej nigdy. Dawno powinna była mieć wysoce tolerancyjną, utalentowaną sprzątaczkę, ale pieniądze wolała wydawać na wikt i opierunek dla kolejnych gości, bezdomnych, zabłąkanych, pechowych i głupkowatych. Może potrzebna jej była świadomość, że stać ją jeszcze na pomoc tym różnym, którym jest gorzej, a może widziała w tym rodzaj rozrywki?

Po ostatnim powrocie z Polski jeszcze się jakoś trzymała, chociaż już nie bardzo mogła i nie powinna być sama. Wpadła w depresję, kiedy odstawili jej polskie lekarstwa, wyjątkowo dobrze dobrane, ogłupili ją jakimś innym leczeniem depresji, dodatkowo dogodził jej okres odwodnienia, wyciągnęli ją z tego, ale do lepszego stanu już w pełni nie wróciła...

Tak prawdę mówiąc, nikt z nas nigdy nie zrozumiał duńskiej medycyny. Po jaką cholerę zmienili jej te leki? Bo z Polski? Ustrój komunistyczny już upadł, więc o co im chodziło? Inna rzecz, że duńskie metody kuracji od dawna budziły moją nieufność, jadąc tam już po raz drugi do pracy, zrobiłam w Polsce wszelkie możliwe badania wątroby, ponieważ rozmaite objawy napełniały mnie obawami, że co najmniej mam raka, wiedziałam zaś, że u nich wątrobę leczy się za pomocą kieliszka koniaku na czczo. Jakoś mi się to nie podobało. Badania wykazały, że jestem zdrowa jak bydlę, nic mi nie jest, a straszne doznania są wynikiem wyłącznie nerwicy, dzięki czemu przeszło mi jak ręką odjął.

Wyciągnięcie Alicji z najgorszego było zasługą naszej Małgosi, mojej siostrzenicy. Pojechała do niej już po kilku dniach, odwaliła całą pielęgniarską robotę, ustawiła Alicję do pionu, ale, niestety, po trzech miesiącach musiała wrócić do Polski, bo takie były wtedy przepisy. Po kolejnych trzech miesiącach pojechała ponownie i wtedy właśnie, wręcz w ostatniej chwili, odpracowała to idiotyczne odwodnienie, znów przywracając jej odrobinę zdrowia, od doskonałości raczej daleką.

Tyle że umysł Alicji na nowo zaczął normalnie funkcjonować, słabość fizyczna, brak sił, to było to, co utrudniało kontakt z otoczeniem. Mówiła z sensem, ale okropnie wolno i po kilku zdaniach już się męczyła.

Wtedy zaczęła rezygnować z walki o zdrowie.

Z tym że było to już pod koniec jej życia, bo wcześniej jadała jeszcze przy stole, wychodziła na spacer, a nawet do sklepu, nie sama rzecz jasna, tylko z aktualną opiekunką. Prosperowała coraz słabiej, ale jednak jak człowiek i przez telefon udzielała mi nawet rad ogrodniczych.

Ostatecznie wykończyły ją te, pożal się Boże, porządki, których zażądały pielęgniarki i sprzątaczka. Owszem, zgadzam się, utrzymanie jakiej takiej czystości w tej straszliwej graciarni było niemożliwe, ale konflikt zaistniał. Pisałam o dewastacji domu i ogrodu, kiedy Alicja jeszcze żyła, ale znów się nie pohamuję, powtórzę. Kto dokładnie ten porządek zrobił, nie wiem na pewno. Podejrzenia Alicji padły na Elżbietę, którą odsądziła od czci i wiary. Powiedziała do mnie z niezwykłą, jak na brak sił, zaciętością:

– Nigdy więcej ona nie wejdzie do mojego domu.

Z czego można było z łatwością wywnioskować, że porządek jej się nie spodobał.

Ponadto w grę wchodziły, oprócz Elżbiety, Małgosia francuska, Ania duńska i Ania polska. Elżbieta zaprzysięgła się z oburzeniem, że ona nie, w co w pełni wierzę, wyrzuciła tylko z szafki kuchennej zaskorupiałe na kamień reszki jakichś substancji, niegdyś jadalnych, w słoiczkach i puszkach. Owszem, zgadza się, w mojej obecności usuwała nieodgadnione, skamieniałe i zapleśniałe szczątki, wśród nich zaś kawę, czekoladę, jakieś sago czy soję, nie wiem co jeszcze, ale wszystko nie do użytku. Nawet ja wyrzuciłabym u siebie takie rzeczy bez paraliżu ręki, a to z pewnością o czymś świadczy. Osobiście wywaliłam Alicji do śmieci zamrożony bób nasienny, nie nadający się w żaden sposób ani do siania, ani do spożycia, ani na kompost, co mi zresztą zdążyła wytknąć z jadowitym wyrzutem. Niech mi się nie wydaje, że ona nie widziała.

Uważam, że bób nie stwarzał naprawdę żadnych nadziei.

Za kolejnym przyjazdem ujrzałam ten przeraźliwy porządek i ścisnęło mnie wszędzie. No dobrze, niechby poszła w cholerę część. Odebrać Alicji nadzieję, że jeszcze raz przejrzy zachowane prospekty, reklamy, informacje ogrodnicze, gazety, zawiadomienia bankowe, niektóre listy, karty pocztowe, życzenia, zdjęcia, jakoś by to zniosła, chociaż boleśnie, ale odebrać jej wszystko...? Skoro nawet nie wiedziała, co tam się dokładnie znajduje...?

Jak mam jej nie rozumieć, skoro mój dziadek był filatelistą i w najwcześniejszym dzieciństwie zetknęłam się ze znaczkami. Niektóre wolno mi było odklejać, przy niektórych natomiast nie wolno było nawet oddychać. Wszystko szlag trafił w Powstanie i niech taki sam szlag trafi wartość materialną, ale jeśli dla mojego dziadka Kolumby to były śmietki, to co miał w zbiorach zasadniczych?!

I nigdy w życiu się tego nie dowiem!!!

I ona również pojęła, że już nigdy w życiu nie dowie się, co miała i co składała sobie przez czterdzieści pięć lat...

Porządek w domu, pielęgniarki, sprzątaczka, jej cholerna sypialnia, w której nie było gdzie nie tylko usiąść, ale zgoła postawić nogi, bez dostępu do okna, sama w nią wpierałam, żeby się bodaj na część dnia przenosiła do salonu, przewiew, powietrze, kontakt z ludźmi, nie było ich już tak dużo, tylko osoby wybrane... nie. Nie i koniec. Uparta jak stado kozłów w kapuście. Rozumiem, że ludzkie warunki należało stworzyć, ale przecież nie tak brutalnie!

Właściwie bez jej wiedzy. Jak po śmierci.

I do diabła z oknami! Porządek, wywalić zakurzone kupy papieru, wywalić pudła puste albo z dziwną zawartością, czort bierz, ale wywalić kwiaty...?! Zostawić sześć suchych patyczków w miejsce wału tych dracen, paproci, bluszczów, asparagusów, storczyków, kaktusów, nie wiem czego tam jeszcze, nawet nazw nie znam, odebrać pomieszczeniu, dwóm pomieszczeniom, cały urok i wdzięk?! Dla kretyńskich okien? Okna ważniejsze czy Alicja? Barbarzyństwo.

Czy pielęgniarki pyskowały także na ogród? Kto wymyślił porządek w ogrodzie? Kto wystąpił w charakterze hordy wandali? Kto, do stu piorunów, do żywej ziemi zdarł wszystko, o co Alicja starała się przez czterdzieści lat?! Kto zniweczył kwitnące juki, hosty, akantusy, poziomki, róże, krzewy ozdobne, trawy, imbir, irysy, nawet cebulki tulipanów?! Osobiście sprawdzałam! Kto wyciął leszczyny na pół metra od gruntu? Sąsiad się czepiał o słońce? Po pierwsze, kretyńsko się czepiał, a po drugie co, ogrodzenie mu się zrobiło przezroczyste po tym wycięciu? Bzdura śmiertelna. Po tym ogrodzie szalał wariat.

Porządek w domu, poszło wszystko, co Alicja miała w planach, głupio czy nie, ale miała. Porządek w ogrodzie, gdzie w jednej chwili zniweczono jej czterdziestoletnie wysiłki i wykluczono jakikolwiek ciąg dalszy. Wszystko na nowo, od zera. Nie w tym wieku zaczyna się od zera, nawet gdyby odzyskało się zdrowie.

Odebrano Alicji nadzieję.

I wtedy przestała już nie tylko walczyć o życie. Przestała chcieć żyć. Bo po co?

Poddawała się wszystkim zabiegom dla świętego spokoju. Kołatało się w niej jeszcze coś, może jakiś szczątek charakteru, może ślad tej zniweczonej nadziei, ale nic więcej. Zdaje się, że to ja chciałam, żeby żyła i ja miałam resztki nadziei, doskonale wiedząc, że jest to nadzieja irracjonalna.

Wreszcie umarła i zyskała święty spokój.

A w ostatniej chwili jeszcze przyniosła mi korzyść. Może trochę dziwną, ale jednak.

We własnym ogrodzie zostawiam wszystko, co samo chce rosnąć. Nic na siłę, rośliny lepiej ode mnie wiedzą, czego im potrzeba i gdzie im dobrze. Wśród dziewann, maków, róż, czegoś małego, co się ładnie płoży i tym podobnych, zaczęło mi wyrastać jakieś zielsko o dość ozdobnych liściach. Chce, niech rośnie, zaczęłam zostawiać, po czym zaraz dowiedziałam się, że jest to jadowita i uparta gangrena, która zagłuszy wszystko, pozbyć się jej nie zdołam, kilometrowe kłącza wypchną mi z ziemi fundamenty domu. Nie uwierzyłam, żal mi było.

Po czym zaraz następnego roku po dewastacji ogrodu Alicji, przy ostatniej wizycie, ujrzałam bujną zieleń, coś wyrosło wspaniale, pokryło dawne klomby i rabaty, głuszyło odbijające nieśmiało hosty, dopatrzeć się nie można było wśród tego żadnej innej rośliny. Przyjrzałam się porządnie, rany boskie, moje zielsko!

Natychmiast po powrocie do domu wyrwałam, ile mogłam i nadal wyrywam, chociaż Alicja po owym zarośnięciu zgadzała się nawet czasem zjeść śniadanie na tarasiku. Pejzaż stracił już charakter zgliszcz po wybuchu jądrowym, wszystko było zielone, ona zaś, przezornie bez okularów, nie rozróżniała z daleka szczegółów zieleni.

Nigdy nie byłam dla niej najważniejsza. To ona była najważniejsza dla mnie, a nie ja dla niej. Dla niej najważniejsza była Zosia, a potem już kłębiło się całe grono, możliwe, że znajdowałam się gdzieś w okolicach czołówki, ale wcale nie na pierwszym miejscu, pierwsze miejsce było chyba zmienne, kilka osób razem? Z pewnością Marzena, Solange, Zbyszek... dwóch Zbyszków, Paweł, Krystyna... Nie wiem, bo jakoś to różnie bywało, i nie będę sobie teraz wszystkich przypominać.

Mam do niej pretensję, oczywiście. Trzeba było słuchać mamusi i nie garbić się, do diabła! Trzeba było zachować umiar, nie przewracać się w Polsce na górskiej ścieżce, nie przewracać się u siebie w ogrodzie, w salonie...! Trzeba było wydać więcej pieniędzy na siebie, a nie wszystko na innych! Trzeba było, nie wiem, pić mleko, żreć wapno, a nie dorobić się dwudziestu czterech potrzaskanych kręgów!

Odebrała mi coś okropnie potrzebnego i nie do zastąpienia. Jej własne istnienie.

No to niech sobie siedzi w tym szwajcarskim sanatorium...

☆ ☆ ☆

Podróż na pogrzeb Alicji, oraz sam pogrzeb były w pełni jej godne.

Całą imprezę, bo inaczej nie można tego nazwać, załatwiali jej spadkobiercy, dwoje siostrzeńców, Małgosia francuska i Rysiek amerykański, dzieci jej siostry. Właściwie działała Małgosia, bliższa Alicji terytorialnie, mieszka bowiem, jak sama nazwa wskazuje, we Francji, podczas gdy Rysiek tkwi w Teksasie, skąd mu nieco dalej. Alicja kiedyś dzwoniła do niego, wziąwszy pod uwagę różnicę czasu i natknęła się na teściową Ryśka. Na pytanie, czy oni jeszcze nie wrócili z pracy, usłyszała lekko zdziwioną odpowiedź, że oni właśnie wyszli do pracy. Bardzo starannie wyliczyła sobie te dwanaście godzin, tyle że w odwrotną stronę. Może to nie było dwanaście, tylko dziewięć, a może wtedy jeszcze Rysiek mieszkał w Kalifornii, a może w ogóle te godziny mylę z Australią. Dziewięć czy dwanaście, bardzo przepraszam, nie pamiętam.

Obydwoje znam od ich, mniej więcej, piętnastego roku życia, z tym że z Małgosią francuską stykałam się wielokrotnie, Rysiek zaś odcierpiał mnie na sobie bez mojego udziału i nawet bez mojej wiedzy. Nie zmywa w tym Teksasie garnków na stacji benzynowej, przeciwnie, wykłada na wyższej uczelni coś, czego nawet nie silę się zapamiętać, nie wspominając o zrozumieniu, matematyko-fizyko-chemio-elektroniko-jakieśtam. Chociaż muszę przyznać, że chyba jest świetnym wykładowcą, bo kiedy mi to wyjaśniał, wiedziałam nawet, o czym mówi. Całkiem jak mój syn w dziedzinie matematyki wyższej. Póki mówili, rozumiałam, z chwilą kiedy przestawali mówić, mój umysł z szaloną energią wypychał to z siebie. Nie dziwię mu się.

W każdym razie na Ryśka padło, kiedy „Lekarstwo na miłość", film nakręcony z „Klina", poszedł w telewizji.

Zdecydowałam się zamieścić w scenariuszu numer telefonu Alicji, wiedząc, że jej nie ma, ugrzęzła już w Danii, a jej mieszkanie pustką stoi, i bardzo się zdziwiłam awanturami, które do mnie dotarły. Też byłam wtedy w Danii. Okazało się, że ludzie dzwonią niczym szaleńcy, każdy siedzi przed telewizorem ze słuchawką w ręku, w mieszkaniu zaś odbiera tę kanonadę Rysiek, który zajął chwilowo lokal po ciotce. A skąd ja miałam wiedzieć, że akurat Rysiek zajmie! Wyznał mi znacznie później, że okropnie mnie wtedy nie lubił.

Małgosia francuska była bohaterką płomiennego romansu z Didier i opisałam to z detalami w którymś tomie autobiografii, powtórzę zatem tylko, że małżeństwem są do dziś dnia i już mają wnuki. Jej też się naraziłam, ale o tym za chwilę. Nawet chyba za dłuuuugą chwilę... Alicja uparcie uważała swoją siostrzenicę za histeryczkę.

Przez wiele lat nie zgadzałam się z jej poglądem, szczególnie w sytuacjach natury uczuciowej, bo do racjonalizmu Alicji było mi daleko, ale stopniowo rezygnowałam z zaprzeczań. Być może pewien wpływ na mnie miało urządzanie domu przez Małgosię, kiedy to do drugiej w nocy pomagałam jej ustawiać książki w pracowni, pod koniec katorżniczej pracy zaś Małgosia rozejrzała się wokół i oznajmiła, że wszystko jest źle, trzeba inaczej, więc zaczynamy na nowo. Popukałam się w głowę i, za przykładem Alicji, która zrezygnowała z wysiłków znacznie wcześniej, poszłam spać.

Później, też stopniowo, doszłam do wniosku, że Alicja miała rację, apogeum zaś nastąpiło przy pogrzebie.

W pierwszej kolejności od Małgosi francuskiej dowiedziałam się, że ceremonia ma się odbyć w Gentofte, bo tam znajduje się jedyne krematorium, a Alicja życzyła sobie znaleźć się obok Thorkilda w urnie. Zmusiłam telefonicznie bardzo zdenerwowanego i pełnego żalu do Alicji za ten niesmaczny wybryk z umieraniem Roberta, żeby nam zarezerwował hotel w Gentofte, z góry kładąc krzyżyk na możliwościach własnych, wiadomo bowiem, że cała Dania operuje angielskim, a z francuskim lepiej nie ryzykować. Bez najmniejszego trudu zarezerwował nam dwa pokoje, a jechała ze mną nasza Małgosia, dla której Alicja stała się osobą wręcz ukochaną, mimo wszystkich udręk, jakie z nią przeżywała. Przy okazji mogła być przydatna i dla mnie, ponieważ ostatnio odzywał mi się reumatyzm w lewym kolanie, co poniekąd kolidowało z pedałem sprzęgła i kazało przemyśliwać nad automatyczną skrzynią biegów, do której nigdy nie miałam serca.

Wyjechałyśmy około dziesiątej, przewidując nocleg w Szczecinie. Rezerwacje we własnym kraju umiałam załatwiać sama i nie omieszkałam tego uczynić. W hotelu Neptun, gdzie zatrzymywałam się zawsze na tej trasie, bo bardzo mi się tam podobała restauracja.

Po godzinie przestała dmuchać klimatyzacja, a maj był upalny. Nawet mnie ucieszyło, że przestała dmuchać, bo dotychczas wywijała mi ten numer wyłącznie w cztery oczy, wszyscy uważali, że musiałam zwariować i przypisywali mi głupkowate halucynacje, a teraz nareszcie miałam świadka. Pełnoletnią i nieskalanie trzeźwą Małgosię.

Prawie od początku podróży Małgosia jęła czynić dziwne sztuki. W jednej ręce trzymała swój pantofel, w drugiej zapalniczkę i uporczywie usiłowała jedno drugim podpalić, jasne, że pantofel zapalniczką, a nie odwrotnie. Starałam się nie zwracać na to uwagi, każdy w końcu ma prawo do własnych rozrywek, ale nie wytrzymałam w końcu, kiedy jej but, jak wystrzelony z procy, świsnął i zleciał mi na rączkę biegów. Grzecznie zapytałam, co właściwie ma na celu i jak to należy rozumieć.

– Bardzo cię przepraszam, oparzyłam się w palec – odparła ze skruchą.

Okazało się, że coś jej z tego buta wystaje, malutkie, z tworzywa sztucznego, jakby koniec grubej żyłki wędkarskiej, i kłuje jak piorun. Zaproponowałam, żeby może to uciąć, ale okazało się, że nie mamy czym, jedyne narzędzia tnące, cążki do paznokci, znajdowały się w bagażniku, w którejś walizce. Nie chciało nam się zatrzymywać i szukać, i Małgosia twardo zajmowała się próbami ogniowymi. Brak klimatyzacji denerwował nas niewymownie.

W połowie drogi rąbnął mnie ten reumatyzm w kolanie. Przesiadłyśmy się, pojechała Małgosia, zmuszona tym sposobem porzucić niszczycielską działalność obuwniczą. Oderwana od kierownicy, natychmiast wrzuciłam pomiędzy fotele zakrętkę od butelki z wodą mineralną i jechałam z tą butelką w ręku, aż wreszcie udało mi się wypić jedną trzecią napoju i upchnąć naczynie do kieszeni na drzwiczkach. Przestało się wychlupywać. Hotel znalazłyśmy dość szybko, po bardzo krótkim błądzeniu.

Był to dla mnie akurat okres gehenny, najpiękniejszego rozkwitu owej substancji, którą mnie obdarzyła przeklęta meszka, i na razie nikt jeszcze nie wiedział, jak temu zaradzić, a z okazji skorzystała arytmia i ucieszyło się krążenie. Razem wziąwszy, w konkursie na okaz zdrowia zajęłabym niewątpliwie zaszczytne pierwsze miejsce od końca, o parę długości za ostatnim maruderem i słowo daję, wstyd mi było przed ludźmi. Ale trudno, po znalezieniu hotelu zostawiłam Małgosię z walizkami i podjechałam na parking, mały kawałek, mniej niż sto metrów. Jechać już mogłam, kolano mi przeszło.

Za to powrót z parkingu piechotą wypadł gorzej. Z racji wstydu, chociaż ludzi prawie nie było, udawałam, że rozglądam się po okolicy, wsparta kolejno na rozmaitych słupkach, przez wielką szybę widziałam Małgosię w recepcji, ale nie śpieszyłam się do niej. Też mnie widziała, być może wzbudziłam jej lekkie zdziwienie tym wnikliwym poznawaniem Szczecina akurat w tym jednym miejscu, na szczęście jednak następne chwile zdecydowanie przebiły dziwactwo moich poczynań.

W hotelu rozgrywało się piekło na ziemi. Zwaliły się na nich skandynawskie wycieczki, bo okazało się, że Skandynawia miała jakiś długi weekend. Recepcja robiła wrażenie ogłuszonej doszczętnie, dostałyśmy pokoje dla niepalących, na różnych piętrach, chociaż wyraźnie i z dużym wyprzedzeniem zamawiałam dla palących i obok siebie. Zeszłam rozzłoszczona, uparłam się, powołałam na rezerwację, zamienili na to samo piętro i palących, przy czym wyszło na jaw, że niepalący się awanturują, bo dla nich zabrakło. Gdzie sens, gdzie logika.W dodatku w pokojach minibarku nie było, wody mineralnej do picia nie było, a u mnie w łazience nie działał prysznic.

W restauracji nie dostałyśmy stolika, do którego w poprzednich podróżach zdążyłam przywyknąć, wszystko zajęły wycieczki, czort bierz, trudno, nie będziemy się zabijać przez stolik. Za to zamówienie złożyłyśmy dość oryginalne, najtańszą potrawę i najdroższe wino, bo tak nam jakoś wypadło. Użebrałam mleczko do mojej porannej herbaty, chciałam za nie zapłacić, ale kelner machnął ręką. Herbatę w termosie jeszcze miałam.

Nazajutrz rano, przy wyjeździe, zrobiłam rezerwację na powrót i bardzo silnie, acz elegancko, skrytykowałam poziom usług. Okazało się, że naganę wygłaszałam dokładnie do tej samej facetki, która wczoraj miotała się nieprzytomnie, myląc wszystko, ale zniosła moje reklamacje mężnie, wyjaśniając zarazem, że minibarek i woda mineralna zostały wzbronione przez dyrekcję, ponieważ ludzie kradną. Kradną, fakt, rozumiem, że podwędzana systematycznie zawartość minibarku może przynosić straty, ale butelka wody mineralnej...? Niech dołożą do ceny pokoju te trzy złote i nie zawracają głowy, w końcu Neptun to nie speluna ani dom noclegowy dla zawodowych żebraków, nie podobają mi się takie dyrekcje.

Pogoda się zapewne zmieniła na moją korzyść, bo na parking leciałam zgoła w podskokach z przysiadami i żaden reumatyzm o sobie nie przypominał. Małgosia ten wystający z buta i podpalany kawałek odcięła w hotelu i wreszcie doznała ulgi. Żeby jednak nie było za dobrze i zbyt normalnie, w Warnemünde zdołałam zabłądzić, przeoczywszy zjazd do promu, doskonale mi znany od lat, dzięki czemu zrobiłyśmy dodatkowo dwadzieścia kilometrów, przejeżdżając dwa razy przez tunel, płatny, po dwa euro sztuka. Małgosia rozsądnie zauważyła, że przecież jedziemy na pogrzeb Alicji, więc coś musi wypadać dziwnie. I miała rację.

W Danii zabłądziłam ponownie. Na autostradzie szalały roboty drogowe, przepadł gdzieś zjazd na Gentofte, nie było go tam, gdzie być powinien. Znalazłyśmy go zupełnym przypadkiem, kiedy już zdecydowałam się jechać przez Lyngby i Charlottenlund, od drugiej strony, skorzystałam ze znaleziska i do hotelu zaprowadziło mnie samo.

Chciałam spotkać się z Ryśkiem i po tych wszystkich latach, oraz licznych rozmowach telefonicznych i korespondencyjnych, pogadać wreszcie osobiście. Zadzwoniłam, że już jestem, nawet nie pamiętam, kogo łapiąc, Małgosię francuską, czy Ryśka, w każdym razie Rysiek oznajmił, że zaraz przyjeżdża.

No i przyjechał. Oczekiwanie na niego trwało dziesięć minut.

Wszystko to razem, cała, można powiedzieć, okolica, zamyka się w granicach dwóch dzielnic Warszawy takich, jak na przykład Mokotów i Służewiec. Albo Praga Północ i Targówek. Z tym, że tam jeździ się łatwiej, podróż z Birkerød do Kopenhagi trwa osiemnaście do dwudziestu minut, a Gentofte znajduje się mniej więcej w środku między jednym a drugim. Rysiek jechał z Kopenhagi, nawet o czekaniu nie ma co mówić, bo ledwo zdążyłyśmy trochę się rozpakować, umyć ręce i zjechać na dół, już był.

Przyjechawszy, postawił nam w hotelowej restauracji elegancką kolację, co w najmniejszej mierze nie leżało w moich zamiarach, nie pojechałam do Danii bez grosza i nikt mi nie ukradł po drodze kart kredytowych, ale głupkowate sprzeczki o rachunek nie wchodziły w rachubę. O ile wiem, Ryśkowi też jedna kolacja na trzy osoby wielkiej różnicy nie zrobi i nie to akurat było ważne, tylko rozmaite szczegóły techniczne.

Otóż okazało się... Ustawicznie się coś znienacka okazywało i zdaje się, że jestem zmuszona pisać te dwa słowa osiemdziesiąty raz, ale nie traćmy ducha, będzie więcej. Mówiłam przecież, że załatwiała wszystko Małgosia francuska z pomocą osób chyba ogólnie niezadowolonych z życia i sytuacji.

Okazało się zatem, że owszem, pogrzeb jutro o drugiej, ale wcale nie w Gentofte, tylko gdzieś, gdzie on nie wie co to jest, ale może nam pokazać na mapie. Małgosia, młodsza ode mnie, skoczyła do samochodu po plan Kopenhagi, Rysiek pokazał na mapie i wypadło, że w Buddinge. No dobrze, niech będzie w Buddinge, mała różnica, kwiaty... nie wiozłyśmy przecież kwiatów z Warszawy! Rysiek miał zamówione w Kopenhadze, ale w Gentofte też istniała kwiaciarnia, bardzo blisko, o parę kroków, czynna w weekendy i święta.

W Danii kwiaty są bardzo piękne, tyle że, z racji ceny, mało używane.

Trochę się poczułam niespokojna, chociaż może to za duże słowo i może kierowały mną względy natury sentymentalnej, ale wydało mi się, że Rysiek nadmiernie lekceważy zawartość domu Alicji. Wziąć buldożer i po wszystkim przejechać. Zaraz, momencik, owszem, głównie śmieci i nikt nie będzie wielką troską obdarzał wiekowego pieca od centralnego ogrzewania, starej pralki, starej lodówki, mikrofalówki, tostera, który od lat już nie chciał się automatycznie wyłączać i palił pieczywo na węgiel, zepsutego komputera, telewizora z okresu naszych błędów i wypaczeń, oraz innych podobnych urządzeń, ale w końcu znajduje się tam ceramika Alicji, rzeźby Thorkilda, obrazy trzech pokoleń Schlichkrullów, rezydujące w co poniektórych muzeach, książki w rozmaitych językach, okazy antykwaryczne, wydania z XIX, a nawet XVIII wieku... Bez żartów, nie równałabym znakomitych portretów prababci i pradziadka z nadłamanym regałem.

Nie omówiliśmy tematu dokładnie i pozostałam z zaniepokojonym niedosytem.

W sobotę przezornie postanowiłam najpierw zamówić kwiaty. Pomijając nasze, od Małgosi i ode mnie, miałam jeszcze zamówienia od Roberta (także Zosi i Moniki), od Julity, od Martusi, od Grażyny (o, nie ma obawy, zostawiłam sobie rachunki i bezlitośnie wydarłam im później stosowne sumy... no nie, nie miażdżące... żeby na pewno było od nich), a od Pawła nie, bo jechał osobiście, na samym wstępie spotkało go nieszczęście natury technicznej i nic już nie zdążył. Niech się teraz martwi.

Ruszyłyśmy na piechotę, bo skoro to parę kroków... Po mniej więcej stu metrach zawróciłyśmy i pojechałyśmy samochodem. Nie zobowiązałam się na cześć Alicji odbywać marszów wiosennych, ponadto Małgosi na nowo wylazło z buta to coś żyłkowate, ucięte w Szczecinie.

Skoro pogrzeb w Buddinge o drugiej, zamówiłam kwiaty na pierwszą. Znam Danię, która pod niektórymi względami nie zmieniła się wcale.

Następnie, bo ta przezorność już we mnie utkwiła, pojechałyśmy szukać miejsca pogrzebowego, żeby potem nie błądzić. Do Buddinge trafiłam bez żadnego problemu, wedle planu miasta kościół tam się znajdował, w pięknym, zielonym terenie znalazłam coś właściwego. Była to bez wątpienia kaplica, na co wskazywał krzyż na dachu. Wyglądała jednakże trochę dziwnie, jak boksy i wyjścia dla koni. Brałam pod uwagę różnicę wyznań, w końcu Alicja, jako taka, wychowana została w katolicyzmie, w Polsce, jej matka była Austriaczką, a Austria jest w zasadzie katolicka, ale Thorkild mógł odbiegać... Protestanckie...? Ewangelickie...? Nigdy o to nie pytałam. Nie znam, mimo ciągot historycznych, wyznania, tak silnie kojarzącego się ze stajniami dla wyścigowych koni wysokiej klasy. Husycyzm...? Czesi mają Wielką Pardubicką, ale ani Thorkild, ani Alicja na konie zbytnio nie lecieli...

Oglądałyśmy to obie z Małgosią z wielkim powątpiewaniem. Pustka panowała i cisza, ani koni, ani zwłok, żywego ducha nie ma, tylko roślinność piękna i wypielęgnowana...

Jedyny żywy człowiek, jaki się w końcu pojawił, przy czym robił wrażenie dyżurującego pracownika, zajętego drobnymi porządkami i zamiataniem terenu, w tajemniczym, jak zwykle dla mnie w Danii, języku (jakim cudem ja się tam w ogóle porozumiewałam ze wszystkimi?) powiedział, że dziś tu nic nie ma. Owszem, zdarzają się ceremonie pogrzebowe, ale ani na dziś, ani na jutro nic nie zostało przewidziane. Istnieje za to w Buddinge drugi kościół gdzieś tam. Za Biblioteką Narodową. Pokazał nam machnięciem ręki, na azymut.

Bibliotekę Narodową znalazłam bez trudu, ciężko byłoby nie znaleźć. Potężna kobyła, zajmująca sobą bez mała pół miejscowości, gdybym chciała dotrzeć gdzieś tam wedle wskazówek dyżurującego pracownika, musiałabym przez nią przejechać na durch, jak przez Hradczany. Poddałam się, zatrzymałam, zadzwoniłam do Ryśka.

Z okropnym zakłopotaniem oznajmił, że nie ma sposobu wytłumaczyć nam, gdzie to właściwie jest. Wyjście widzi jedno, on sam już wie, musi nas dopilotować, za kwadrans będzie w Gentofte i wszystko pokaże.

Wróciłyśmy zatem do Gentofte.

Przyjechali wszyscy troje, Rysiek, Małgosia francuska i Didier. Musieli trzymać się w kupie, ponieważ tylko Rysiek dysponował samochodem, który wypożyczył od razu po przylocie do Kopenhagi.

Dziesięć po dwunastej Małgosia francuska zaczęła wyczyniać histerie, żądając, żeby natychmiast jechać do kaplicy, ale to już, zaraz, czym prędzej.

– Małgosiu, kota masz? – spytałam grzecznie. – Mamy tu kwiaty zamówione na pierwszą i nie pojadę ich odbierać trzy kwadranse przed czasem. Pierwszy raz w życiu jesteś w Danii? Ale ona musi, bo jest umówiona z zarządem i wszystko należy przygotować, najwyższy czas i ostatnia chwila. Upadła na głowę. Ktoś zaproponował, że może wobec tego jedźmy, poznamy drogę, wrócimy po kwiaty i pojedziemy ponownie, a ona niech tam zostanie, jeśli koniecznie musi. Nie spodobał jej się ten pomysł, rozpętała istne szaleństwo i wtedy właśnie zaczęłam dochodzić do wniosku, że Alicja miała rację. Też się uparłam, bo Dania jest punktualna w obie strony, nie za późno, ale i nie za wcześnie, Rysiek trochę z tego zgłupiał, Didier, przyzwyczajony do małżonki, palił fajkę i milczał kamiennie, Małgosia, zaznajomiona już od dawna z Małgosią francuską, milczała nieżyczliwie, pogoda się popsuła. Ugięłam się dla świętego spokoju, z góry układając sobie przeprosiny po angielsku, pojechaliśmy po kwiaty o dwunastej czterdzieści.

Wiązanki były prawie gotowe, należało tylko szarfy przyczepić i nawet się ucieszyli naszą obecnością, bo nie byli pewni, które do której. Załatwiłam sprawę, za dziesięć pierwsza udaliśmy się na miejsce ceremonii.

Okazało się, że pogrzeb jest w Vangede, a to jedyne krematorium istnieje nie w Gentofte, tylko w Gladsaxe. Łaska boska, że nie wpadło nam w oko na mapie, bo Gladsaxe znajduje się trzy razy dalej. Podróż do Vangede trwała dziesięć minut, a trwałaby pięć, gdyby nie roboty drogowe, które imponująco pokiełbasiły trasę. Przez pięć minut przejeżdżaliśmy odległość około dwustu metrów z szybkością drabiniastego wozu, zaprzężonego w wyjątkowo leniwe woły, rzeczywiście, trochę trudno byłoby to wytłumaczyć na gębę. A i tak dotarliśmy na miejsce przed pierwszą.

Dokładnie godzinę pętaliśmy się na zewnątrz, bo w kaplicy odbywała się poprzednia uroczystość i osoby postronne były źle widziane. Żadnego zarządu nigdzie nie było, pojawiła się tylko na chwilę jakaś pani, która powiedziała, że wszystko jest załatwione i niczego więcej nie potrzeba, a z szalejącą Małgosią francuską w ogóle nie miała czasu i nie widziała powodu rozmawiać. Pogoda konsekwentnie poszła do przodu, zerwał się nieprzyjemny wiatr, zrobiło się zimno i zaczął mżyć deszczyk. Jak stado półgłówków czekaliśmy w samochodach, wśród obfitego kwiecia, bo żadnej poczekalni w owej kaplicy nie przewidziano, marznąc i grzecznie zaciskając zęby.

– Alicja chichocze z satysfakcją – mruknęłam do Małgosi, która w pełni podzieliła moje zdanie, coraz bardziej zaabsorbowana swoim pantoflem.

Była jedyną osobą, która miała jakieś zajęcie. Z buta wylazło jej już kilka żyłkowatych końcówek, pantofel przekształcił się w coś w rodzaju jeża, odwróconego na lewą stronę, zdjęła to, ukryta między samochodami, twardo podpalała cholerną żyłkę, która, skrócona z jednej strony, wyłaziła drugą. Nie miała kiedy znudzić się oczekiwaniem, nie jestem pewna czy udało jej się zniweczyć całe szewskie szycie, ale wyglądało na to, że tak, bo na razie jeszcze nie wystąpiła boso.

(Ona mówi, że nie. Zostało, wylazło i kłuło wściekle.)

Wpuszczono nas wreszcie. Z Polski byłyśmy tylko my dwie, pozostałych dwoje rodaków spóźniło się dwadzieścia minut, a cała impreza trwała pół godziny. Ze słowem pożegnalnym w dwóch językach, z muzyką, ale bez nabożeństwa, Alicja tak sobie życzyła, proszę bardzo, niech jej będzie, w paradę weszło zapewne to urozmaicenie wyznań.

Wyszłyśmy w końcu, trumna miała zostać przewieziona do krematorium, na zewnątrz owszem, stał karawan, w karawanie przy kierownicy siedział pies.

Jak Boga kocham, nie stosuję tu żadnego surrealizmu, średnich rozmiarów samotny pies siedział na miejscu kierowcy i patrzył na mnie uważnie i z lekką wyniosłością. Zrobiłam mu zdjęcie, ale trochę niewyraźnie wyszedł, fotografika nigdy nie zaliczała się do moich wielkich talentów. Wiedziałyśmy już, że ma się odbyć skromna stypa i tu zaczęły się mało powiedzieć, że schody, raczej chyba drabina.

Według informacji Małgosi francuskiej, miejsce zostało przewidziane w myśliwskim pałacyku nad jeziorem, jakoby ukochanym lokalu Alicji, a gówno prawda. Przez długą chwilę nie mogłam zrozumieć, o czym w ogóle jest mowa, Małgosia francuska entuzjastycznie głosiła, że chodziły tam obie z Alicją bez mała trzy razy dziennie, Alicja uwielbiała owe nadwodne spacery i staroświecki pałacyk... jaki znowu pałacyk, do pioruna ciężkiego, żadnego pałacyku tam nie widziałam! I dlaczego, do diabła, popadała w tę miłość wyłącznie w towarzystwie siostrzenicy, a nigdy w moim...? ...ilekroć Małgosia francuska przebywała w Birkerød zawsze, ale to zawsze, chodziły tam na cudowne przechadzki...

Zdaje się, że częściej i dłużej ja przebywałam w Birkerød, niż Małgosia francuska, która, co tu ukrywać, we Francji miała pracę, męża, dzieci, w końcu nawet wnuki, w Niemczech zaś rodziców, później już tylko matkę, u której musiała częściej bywać, trudno wymagać, żeby tygodniami przesiadywała w Danii, ja dysponowałam większą swobodą, przyjeżdżałam co roku, tkwiłam tam niekiedy półtora miesiąca, a przez wszystkie lata pobytów byłam z Alicją nad jeziorem jeden raz. Może dwa. Pałacyk przewidział zapewne wówczas moją chwilową obecność i ukrył się starannie.

Poza tym, o ile wiem, ukochanym lokalem Alicji była kawiarenka blisko Brugsena, ilekroć robiła zakupy, zawsze, ale to zawsze, wstępowała tam na kawę, ponadto jeśli już w grę miałoby wchodzić uczucie, raczej było to uczucie do kawy. Pałacyk mnie jednakże zaintrygował, istnieje coś, o czym nie mam pojęcia, niech będzie, obejrzyjmy to.

Okazało się, że trzeba jechać przez pamiętny mi lasek, uświetniony domem wariatów, do którego trafiłam przed laty, zabłądziwszy niepojętym sposobem. Chyba teraz jechałam za kimś, aż znalazłam się na eleganckim, śródleśnym parkingu. Tak jest, zgadza się, tu się właśnie dojeżdża, a dalej, nad jezioro, trzeba lecieć piechotą. Owszem, po asfaltowej alejce, ale w dół.

Prawa przyrody bezlitośnie informują, że jeśli w jedną stronę leci się w dół, wracać trzeba pod górę.

Na pogrzeb Alicji pozwoliłam sobie ubrać się przyzwoicie, w końcu obie byłyśmy przedwojenne, ona na mój też ubrałaby się przyzwoicie. Miałam ciemny kostium, ciemną bluzkę, czarną torebkę i czarne pantofle, lakierki, na wysokich szpilkach. Nie jest to obuwie do marszów przez las.

Pomijając już to, że w najmniejszym stopniu nie nadawałam się do marszów pod górę, bez względu na rodzaj terenu i obuwia.

Mimo wszystko zeszłam, zawczasu mściwie i wściekle obmyślając sposób powrotu. Razem ze mną zeszli: osoba płci żeńskiej na szwedkach, zaopatrzona w protezy obu kości biodrowych, osoba płci męskiej w wieku dziewięćdziesięciu trzech lat, chora na serce, kilka osób w wieku niewiele młodszym, zaopatrzonych w urozmaicone dolegliwości i odrobina młodzieży przed sześćdziesiątką. Wszystko kochający, wieloletni przyjaciele i powinowaci Alicji, niektórych nawet znałam osobiście, tylko za skarby świata nie mogłam sobie przypomnieć, kto jest kim i jak się nazywają. Ale cieszyli się bardzo, że ich rozpoznaję i toczyliśmy miłe pogawędki w języku już wcześniej wspomnianym.

Zszedłszy, już blisko jeziora, rozpoznałam miejsce. Jasne, oczywiście, tu właśnie odpoczywałyśmy kiedyś z Alicją, dawno temu, przeleciawszy malowniczy kawałek terenu w celach krajoznawczych. Drewniany barak dla turystycznej młodzieży, gdzie można było usiąść na ławce przy stole na zewnątrz albo w środku i napić się piwa. Bardzo tanio, fakt, na skromną stypę w sam raz. Złapałam Małgosię francuską.

– KTO to wymyślił? – spytałam za pomocą warkotu przez zaciśnięte zęby.

No, właściwie to Kirsten, ale ona sama myślała, że Alicji by się tu podobało, a Kirsten załatwiła, miała zarezerwować...

– Gdzie Kirsten? Nie widzę jej?

No właśnie, Kirsten nie ma, nie przyszła, coś mówiła, że nie może...

– Nie widzę także Ani i Jasia. Nie dość, że się spóźnili skandalicznie na ceremonię...

Ach, Boże, oni się zawsze spóźniają, a teraz w dodatku mają straszne kłopoty, przyjechali nagle do nich goście ze Stanów, Ania się w ogóle wyłączyła, załatwiała wszystko, ale teraz już nie, więc właściwie Kirsten, to ona wpadła na ten pomysł, Małgosia francuska też myślała, że tak będzie najlepiej...

Nie byłam pewna, kto tu zwariował, któraś z nich, obie razem czy może ja. Pogoda się ustabilizowała, wiatr z wielką uciechą pokazywał co potrafi, deszczyk siekł z równiutkim natężeniem, wnętrze zabytkowej budowli, składające się z dwóch pomieszczeń, okazało się zajęte, w jednym rezydowała jakaś wycieczka, w drugim urządzono przechowalnię dzieci, do dyspozycji pozostały tylko stoły na świeżym powietrzu, bez zadaszenia. Zimno było jak piorun.

Na domiar złego wyszło na jaw, że spokojnie można tu było dojechać samochodem, tyle że od drugiej strony. Ostatnia kropla przelała naczynie, uparłam się, głosem wściekłej żmii zażądałam, żeby ktokolwiek poleciał na górę, zjechał samochodem, zabrał mnie i dowiózł do leśnego parkingu. Dalej już dam sobie radę i też mogę pojeździć z góry na dół i z powrotem. Zdaje się, że mój pogląd nie był odosobniony, Małgosia, z racji buta, który rzeczywiście nie popuścił, poparła mnie ogniście, dwie co młodsze osoby poleciały na górę, Rysiek i któryś Duńczyk, do parkingu dowieziono nas obie z Małgosią i jeszcze kilkoro gości. Małgosia francuska odcierpiała swoje, bo ubrana była w jedwabną, powiewną kieckę i sandałki na bosych nogach, bez powodzenia udawała, że nie szczęka zębami i w wyborze jakiegoś mniej romantycznego miejsca na stypę brała słaby udział.

Ktoś wymyślił knajpę blisko Birkerød, podjechaliśmy tam.

Na parkingu znalazło się miejsce na jeden samochód, w dodatku gdzieś na tyłach restauracji i do samego lokalu znów trzeba było lecieć na dół. Rany boskie, a geografia uważa, że Dania jest płaska!

Nie mam pojęcia, kto w rezultacie wpadł na pomysł spożytkowania restauracji w środku Birkerød, koło Brugsena, tuż obok kawiarni, możliwe, że Rysiek. Nikt już nie musiał mnie pilotować, byłam tam tysiąc razy, nie słuchając żadnych wskazówek, udałam się na miejsce samodzielnie i ustawiłam samochód na końcu parkingu, za wychodkiem miejskim, gdzie parkowałam prawie przy każdej wizycie w sklepach. Przesadzam, przy wizytach w sklepach parkowałam bardziej w środku. Reszta, nie wiem dlaczego, zajechała od strony kościoła, skąd mieli dalej.

Zdaje się, że skromna stypa wypadła, chyba Ryśkowi, bardzo drogo.

Gorzej, że wszystko to razem zrobiło się strasznie śmieszne (zestaw słów w pełni oddaje charakter atmosfery), dotarła do nas groteskowość kolejnych sytuacji. Siedząca obok mnie Małgosia zauważyła, że zachowujemy się

skandalicznie, w końcu to jest stypa... no tak, ale zaraz na początku zdenerwowana niewątpliwie Małgosia francuska wzniosła toast: „Zdrowie Alicji!" i wszyscy spełnili go ochoczo i bez najmniejszego wahania... a my chichoczemy jak obłąkane.
– A Alicja to myślisz, że co? – odparłam jej na to. – Lata tu nad nami i już się usmarkała ze śmiechu. I jeszcze mi wypomina, jak mówiła, że Małgosia jest histeryczka, a ja jej nie wierzyłam.
– Bo głupia byłaś – zaopiniowała moja siostrzenica niemiłosiernie.

Małgosia francuska zresztą wzniosła toast za zdrowie Alicji kilkakrotnie, po czym wyszło na jaw, że właściwie nie wie, gdzie jej ciotka ma zostać pochowana. Nigdy nie była na grobie Thorkilda. Ja byłam, wiedziałam gdzie to jest, ale Małgosia wiedziała jeszcze lepiej, bo wielokrotnie robiła tam z Alicją porządki. Poświęciła się, odnalazła pod stołem but, powiedziała, że może pokazać, cmentarz pod kościołem znajdował się blisko, porzucili stypę we troje i poszli na zwiady, obie Małgosie i Rysiek, który widocznie miał dosyć ustnych informacji drogowych i wolał zobaczyć miejsce na własne oczy.

Podobno każdy dobry uczynek musi być natychmiast ukarany, możliwe, że to prawda, bo Małgosi od jej poświęcenia o mało szlag nie trafił. Natychmiast po wyjściu z knajpy wpadła w kratkę ściekową i odłamała sobie obcas od kłopotliwego buta. Żyłki wystawały już ze wszystkich stron i kłuły ją wszędzie, zdaje się, że kawałek przeszła boso. Przemyśliwała nad wyrzuceniem draństwa natychmiast, ale alternatywę stanowiły bose nogi, drugie pantofle miała w hotelu, a kupić cokolwiek na poczekaniu w sobotnie popołudnie w Birkerød było wykluczone. Sklepy zamknięte i cześć. Zakupu mogłaby dokonać wyłącznie w Kopenhadze na dworcu głównym. No, może w Lyngby, w Magasin du Nord.

Wrócili do restauracji bardzo szybko. Małgosia polska w tym momencie nie lubiła Małgosi francuskiej.

– Ale pan Bóg ją skarał, zmarzła najbardziej ze wszystkich – powiedziała mściwie. – A Kirsten niech żałuje, że nie przyszła.

Możliwe, że Kirsten w końcu pożałowała swojej nieobecności nad jeziorem. Kirsten w ogóle była siostrzenicą Thorkilda, rasową, można powiedzieć, Dunką i Alicja, zaprzyjaźniona z nią przez wiele lat, w końcu ją znienawidziła. Niewykluczone, że z wzajemnością, chociaż duńskim uczuciom brakuje na ogół słowiańskiego ognia, Polska leży trochę bardziej na południe. Kirsten była zdania, że Alicja jest nienormalna, ponieważ nie chce zamieszkać w domu starców. A Alicja nie chciała i już.

Duńskie domy starców są to ośrodki luksusowe i nie tylko te wybrane, ale wszystkie. Albo prawie wszystkie. Dostaje się własny apartament, bywa że dwupokojowy, z łazienką rzecz jasna, można sprowadzić własne meble, książki i co się chce, pełna opieka medyczna, pełna obsługa hotelowo-pielęgniarska, zazwyczaj są to budynki pawilonowe, w zieleni, można być zabieranym przez rodzinę na weekendy i święta i nie wiem co tam jeszcze, ale tak mieszkała sparaliżowana matka Thorkilda. Tyle że trzeba za to zapłacić, mianowicie oddać im własne mieszkanie albo własny dom i przelać na nich dożywotnio emerytury i renty. Wszyscy Duńczycy tak robią, niekiedy także małżeństwa, które już same nie dają sobie rady, traktowane jest to jak rzecz zupełnie normalna, wybór naprawdę wygodnej starości. A Alicja nie. Wariatka.

Dzień w dzień Kirsten przychodziła z wizytą, blisko mieszkała, i łagodnie, ale uparcie namawiała Alicję na takie rozwiązanie, nie pojmując kompletnie przyczyny jej uporu. Alicja już patrzeć na nią nie mogła, uważając z kolei Kirsten za tępadło i w ogóle kretynkę, w rezultacie zdaje się, że zabroniła jej przekraczać progi domu. Kirsten się chyba obraziła i przestała Alicję lubić.

Prywatnie jestem pewna, że barak nad jeziorem wymyśliła nie tylko ze zwyczajnej oszczędności, ale także w przekonaniu, że na nic więcej Alicja nie zasługuje.

Następnie stwierdziłyśmy, że na pogrzebie nie było także Adama.

Adam stanowił niejako ariergardę wizytujących Alicję tabunów, z tym że nie był przyjezdny, mieszkał w Birkerød i w ostatnich latach bardzo się z Alicją zaprzyjaźnił. Zetknęłam się z nim osobiście tylko dwa razy, w ciągu dwóch dni, jednego pod wieczór u Alicji, a drugiego w samo południe, kiedy dopilotował mnie do sklepu ogrodniczego, gdzie i tak wiedziałam, że nie kupię tego, co mi jest potrzebne. Na cebulki lilii i tulipanów była nieodpowiednia pora roku, o imbirze trującym z pewnością nie słyszeli, ale przynajmniej chciałam wiedzieć, gdzie to ogrodnictwo się znajduje, bo wcześniej, przed laty, kiedy kupowałyśmy z Alicją drzwi altankowe z tekowego drewna, mające służyć jako stół salonowy, istniało gdzie indziej. Jako blat stołu rzeczywiście służyły przez długie lata.

Tyle znajomości. Adam wydał mi się spokojnym, małomównym, sympatycznym i łagodnym facetem, uczynnym i pełnym życzliwości. Alicja go lubiła. Jego nieobecność na pogrzebie była co najmniej niezrozumiała, a już z pewnością gorsząca, i wysunęłyśmy supozycję, że może leży ciężko chory, albo akurat pojechał do Polski i o niczym nie wie. Okazało się, że ani jedno, ani drugie, było jeszcze gorzej i nie zamierzam tego taktownie ukrywać.

Rzecz oczywista, o wszystkich wydarzeniach dowiadywałam się sukcesywnie i nie pamiętam już nawet ścisłej kolejności, bo cykało mi kawałkami, a razem i do końca ułożyło się nieco później, dopiero po powrocie do Polski. Ale załatwię rzecz od razu dla uniknięcia jeszcze większego zamętu.

Najwięcej o Adamie wiedziała Mirka, przedostatnia osoba, opiekująca się Alicją. Odjechała i wymieniła się z osobą ostatnią w czasie dość krótkiego pobytu Alicji w szpitalu, tak, żeby Alicja mogła wrócić do domu niejako na gotowe. Żeby opieka czekała na nią, a nie ona na opiekę. Mirkę bardzo tu przepraszam za szczerość, ale bez szczegółów się nie obejdzie, możliwe, że intymnych. Otóż pochodziła ze Śląska i stanowiła najdoskonalsze przeciwieństwo wspaniałych, dorodnych, tęgich, śląskich bab. Średniego wzrostu, chuda była jak szkielet i znerwicowana nieziemsko głównie na tle własnych dzieci, dorosłych już i dorastających, przez całe lata bowiem, nie mając dostatecznej ilości pieniędzy, sama nie jadła, żeby dzieciom starczyło. Dzieci w dwóch trzecich całkiem dorosły i poszły na swoje, ale nie szkodzi, obsesja jej została. Nerwica też. U Alicji jakoś się reflektowała i żyły w pełnej przyjaźni, ponieważ świetnie umiała gotować kluski śląskie, które Alicja uwielbiała, kopytka i pierogi również, i w ten sposób rodzaj pożywienia ogólnie przywracał równowagę.

Adam w tym czasie bywał codziennie, przychodził na kawę, gawędzili sobie z Alicją, załatwiał rozmaite sprawy, bo doskonale znał język duński i w ogóle był wysoce użyteczny. Ale chyba się jakoś powolutku i łagodnie narowił.

Rysiek, jak już zostało powiedziane, bywał rzadko i żadnej z tych osób nie znał. Przyjechał ostatnim razem chyba służbowo, zatrzymał się w Kopenhadze i korzystając z okazji, odwiedził Alicję. Poniższe pochodzi z jego relacji, pozwolił mi o tym napisać.

Przyjechał, możliwe, że zapukał i wszedł, bo dom, jak zwykle, był otwarty. Alicja drzemała w swoim pokoju, nie chciał jej budzić, rozejrzał się i żywego ducha nie ujrzał. Usiadł zatem w salonie, zamierzając poczekać, być może zrobił sobie kawę, co umiał i co w ogóle nie było trudne.

W przedpokoju pojawił się nagle jakiś duży facet, taki owszem, w sobie, nic nie powiedział, jakby nie widział

Ryśka, wszedł do salonu i, wciąż bez słowa, położył się na podłodze pośrodku, na brzuchu. I leżał. Rysiek patrzył i milczał, niepewny, co właściwie powinien zrobić. Z drzwi do korytarzyka, z głębi domu, wyszła znienacka nieduża, strasznie chuda facetka, również nie odezwała się ani jednym słowem, podeszła do leżącego faceta i zaczęła po nim deptać.

W pierwszej chwili Rysiek w panice usiłował sobie przypomnieć, co na litość boską pił i kiedy. Później zastanowił się, czy nie śpi, chociaż takich surrealistycznych snów na ogół nie miewał. Wreszcie uświadomił sobie, że przecież znajduje się u Alicji, gdzie wszystko jest możliwe. Alicja ocknęła się z drzemki i sytuacja została wyjaśniona. Leżącym był Adam, a deptała po nim Mirka. Podobno miała za sobą jakieś kursy wschodniego masażu, który Adamowi bardzo odpowiadał i scena zaliczała się do zwykłych, prawie codziennych.

Nie to jednakże wpłynęło na wzajemną zmianę stosunków towarzyskich. Znam dwie wersje, może jedna z nich jest prawdziwa, a może obie, osobiście, jako podła żmija, podejrzewam, że obie. Kolejność sama wynika z charakteru wydarzeń.

Alicja postanowiła napisać testament albo zmienić napisany poprzednio, to już bez różnicy. Prawnie rzecz biorąc, naturalną i jedyną spadkobierczynią była jej siostra, Ruth, ale Ruth, starsza od Alicji, również zdrowiem nie kwitła i zwalenie jej na głowę całego tego naboju nie miało żadnego sensu. Szczególnie, że korzyści materialne nie wchodziły w rachubę, Ruth miała z czego żyć, Alicja zaś skarbów Sezamu po sobie nie zostawiała, zdecydowała się zatem rozdzielić kłopoty sprawiedliwie, pół na pół, na Ryśka i Małgosię francuską. Ponadto uwzględniała moralne prawa Schlichtkrullów, portrety rodzinne stanowczo im się należały, coś tam jeszcze wymyśliła i do tego wszystkiego testament był niezbędny.

Notariusza sprowadził Adam. Bliższych szczegółów nie znam, nie mam pojęcia na przykład, czy ów notariusz był z pomocnikiem, czy sam, nie pamiętam też, która z dziewczyn siedziała tam akurat w charakterze opiekunki, mam wrażenie, że nie Mirka, tylko ta, która była przed nią i po niej, i aż się boję napisać, jak jej było na imię, bo nikt mi nie uwierzy. Ale trudno, napiszę, życie te dziwactwa wymyśla, nie ja. Otóż Małgosia. W naszej wersji występowała jako Małgosia wołomińska, chociaż wcale nie jestem pewna, czy nie mieszkała na Żeraniu. W każdym razie stanowiła czyste błogosławieństwo, była spokojna, fachowa i w dodatku prześliczna, co akurat nie ma nic do rzeczy. Notariusz w każdym razie usunął z pokoju osoby postronne i pozostał sam z Alicją. Załatwili co trzeba.

Po czym nastąpił tajemniczy przeciek i wyszło na jaw, że Adam w testamencie uwzględniony nie został. Podobno liczył na to, podobno spodziewał się, że Alicja mu coś zapisze, nie bardzo wiem, co mogłaby mu zapisać, ale ogólnie był skąpy i testamentem poczuł się urażony.

Niewykluczone. Osobiście jego skąpstwa nie doświadczyłam, ale z relacji świadków wynika, że składał Alicji codzienne wizyty nie tylko z dobrego serca, także dla korzyści własnej. Mianowicie, dokonując czynu, moim zdaniem, wysoce chwalebnego, zbierał spadłe jabłka w ogrodzie bardzo porządnie i dokładnie, co do jednej sztuki, po czym te jabłka spożywał w najrozmaitszej postaci. Za owo zbieractwo wszystkie przebywające u Alicji osoby były i są mu dozgonnie wdzięczne, zdejmował im bowiem z karku upiorną robotę. Jabłek Alicji i własnych na sobie owszem, doświadczyłam, rozumiem zatem całość zjawiska. Jeśli jest to wynik skąpstwa, chciałabym miewać u siebie ogrodzie kogoś skąpego, kogo zainteresowałyby mirabelki w żywopłocie, ostrzegam, że cholernie kłującym.

Druga niemiła sytuacja nastąpiła, kiedy Adam szukał papierosa.

W sypialni Alicji stała na półeczce, no dobrze, na kilku półeczkach... cała kolekcja opakowań po papierosach. Maniactwo na tym tle zalęgło się jeszcze w BLOK-u, w Warszawie, i zdaje się, że ogarnęło nie tylko nasze biuro projektów, inne też, w każdym razie pamiętam, że sama przywoziłam skądś nowości, wszyscy dbali o powiększenie stanu posiadania i byliśmy z tych zdobyczy nad wyraz dumni. Alicja u siebie kontynuowała działalność. Dobry obyczaj nakazywał w każdym opakowaniu zostawiać jednego papierosa i to był szczyt elegancji. Także ratunek w trudnych chwilach i obie z Alicją gmerałyśmy kiedyś w kolekcji, rozważając, które z eksponatów poświęcić, a których broń Boże nie, starając się przy tym zachować umiar i skromność. Adam o zbiorze doskonale wiedział i podobno niekiedy z niego korzystał.

Teraz wszystko będzie podobno. Podobno korzystał systematycznie. Podobno przeszukiwał opakowania, wszystkie już puste, żadnego papierosa nie mógł znaleźć, podobno zdenerwował się, powiedział: „Na co ci te puste paczki", zgarnął je brutalnie i wyrzucił do śmieci.

Alicję szlag trafił i tu nawet „podobno" nie jest mi potrzebne.

– Nie będziesz wyrzucał moich rzeczy – powiedziała może i słabo, ale bardzo stanowczo. – Wynoś się z mojego domu i nie waż się tu więcej przychodzić.

Po czym kazała aktualnej opiekunce wyjąć to wszystko ze śmieci i poustawiać z powrotem. Co zostało dokonane.

Adam się więcej nie pokazał i na pogrzeb też nie przyszedł, aczkolwiek o nim wiedział.

Rysiek powiedział:

– Tylu Alicja miała przyjaciół i znajomych, tak ją wszyscy kochali, tłumy tu przyjeżdżały, a w rezultacie na pogrzebie byłaś tylko ty.

Miał rację. Pchali się do niej wszyscy, zapraszali ją do siebie jak szaleńcy, do Warszawy, do Krakowa, do Paryża, do

Wiednia, do Kolonii, do Kalifornii, musiałaby się porozdzierać na sztuki, żeby przyjąć bodaj połowę tych zaproszeń, jedyny cień przyzwoitości, na jaki się zdobyłam, to ten, że nie przymuszałam jej natrętnie do wizyty także i u mnie, za którymś pobytem w Polsce widziałam się z nią tylko u Zosi. I była mi szczerze wdzięczna. Dobrowolnie przyjechała po ostatnim pobycie w sanatorium i chichocząc oznajmiła, że z dwojga złego woli mnie niż parę rozkosznych niemowląt, które ktoś chciał jej koniecznie pokazywać. Ale na pogrzebie ich nie było... Możliwe, że dla nikogo Alicja nie zrobiła tyle, co dla mnie.

Po powrocie do hotelu w Gentofte rozzłościłam się, bo właściwie nie miałam szans z Ryśkiem tych paru brakujących mi słów zamienić. Zadzwoniłam, zaproponowałam, żeby przyjechał, jeszcze wcześnie, zdążymy przed wieczorem trochę pogadać w hotelowej restauracji. Kolacji niech nam już nie stawia.

Znów przyjechali wszyscy troje, Rysiek, Małgosia francuska i Didier. W hotelu odbywało się wesele, zajęte były obie sale, orszak w balowych strojach przemieszczał się w pląsach z jednej do drugiej, ale pozostał hol, w holu zaś dużo miejsca, stoliki, fotele i pełna obsługa. Po skromnej stypie nikt nie był głodny, zamówiłam wino, mieli świetne Lalande Pomerol, nie wiem ile kosztowało, bo kazałam dopisać do rachunku, czego oczy nie widzą, tego sercu nie żal. Przybyłe osoby twierdziły, że nie chcą wina, w związku z czym musiałyśmy sobie z Małgosią zamówić potem jeszcze jedną butelkę, bo wytrąbili nam większość. Co nie znaczy, żebym im żałowała, nie zaraziłam się od Adama.

Na marginesie: woda mineralna była obrzydliwa, nie wiem dlaczego.

Małgosia francuska miała ciężkie zmartwienie, wyraźnie świadczące, że nadzieja jest nieśmiertelna. Wciąż żywiła się resztkami złudzeń na odzyskanie warszawskiego mieszkania Alicji, bo w czterdziestym piątym roku była mowa, że jeśli ktoś własną ręką odbuduje część budynku, będzie to należało do niego i Alicja własną ręką odbudowywała. W dodatku kawałek gruntu pod tym mieszkaniem, trzy kondygnacje niżej, przed wojną należał do jej dziadka, więc jak ona ma to zrobić.

Zezłościłam się bardziej i wyjaśniłam jej uprzejmie, że przed wojną mój pradziadek w prostej linii posiadał dwie kamienice na Groszowickiej, Ojczyzna Ludowa mu to zabrała, ale nikomu z rodziny nie wpadło do głowy teraz się upominać. I nie ma obawy, nie wpadnie. Nie wymyśliłam tego na poczekaniu, jest to święta prawda.

Wobec tego ujawniła drugie zmartwienie, mianowicie Kirsten ma pretensje do spadku po Alicji. Posiadłość wszak należała do Thorkilda, na mocy testamentu przeszła na Alicję, ale Kirsten była siostrzenicą Thorkilda, więc coś jej się należy i już poleciała do adwokata. Wypisz, wymaluj, warszawska sytuacja, kiedy to szwagierka nieboszczki czepiała się spadku po bracie i nic jej z tego nie przyszło, poza tym, że wyślizgała ciocię Jadzię ze ściennego barometru.

Zezłościłam się już szczytowo i oznajmiłam, że ja też mam pretensje do spadku po Alicji. Po krótkiej chwili lekkiej zgrozy, a nawet Didier się zaciekawił, wyjaśniłam, że domagam się jednej książki, jest to „Wykład profesora Mmaa" Themersona, której nigdy Alicja nie chciała mi pożyczyć na wynos i mogłam to czytać tylko przebywając u niej. Co systematycznie czyniłam. Powiedziała, że mogę ją wynieść z domu dopiero po jej śmierci, jest to jej prywatna świętość, za życia nie da i koniec. Na jej miejscu (na nadmiar zaimków proszę nie zwracać uwagi, w nerwach piszę!) też bym nie dała, wezmę do Polski, prom się utopi, książka razem z nim i co? Nawet mi nie można dać po pysku, bo zwłok nie odnajdą. Czuję się spadkobierczynią profesora Mmaa i żądam go dostać.

Z westchnieniem wyraźnej ulgi Małgosia francuska powiedziała, że ależ oczywiście, bez problemu, jeśli tylko ją znajdzie...

– Jakie znajdzie? – spytałam strasznym głosem. – Ja ci zaraz mogę powiedzieć, gdzie ona stoi. W pokoju telewizyjnym, w tej oszklonej serwantce, na najniższej półce oszklonej części, na samym końcu z prawej strony. Nigdy Alicja nikomu nie pozwoliła tego wynieść. Jeśli jej tam nie ma, to znaczy, że ktoś podwędził i ja tę swołocz znajdę! Nie książki szukaj, tylko złodzieja!

Musiało to zabrzmieć bardzo okropnie, bo Małgosia francuska przestraszyła się nieco i wykluczyła bodaj cień niepewności. Zaczęła nawet coś mówić, że Alicja przeznaczyła mi w spadku jakiś kamień czy coś podobnego, ale nie zwróciłam na to uwagi, bo żadnego kamienia akurat nie pamiętałam.

A jednak...!

Pamiętała Alicja. Jeszcze w Warszawie byłam u niej i wpadło mi w oko pudełko, właściwie dość duża szkatułka, prześliczna, z ciemnego, prawie czarnego drewna, lekko rzeźbiona, z owalnym, pomarańczowym kamieniem na środku wieczka. Może to bursztyn z przedwojennym szlifem, a może w ogóle szkło.

– O, jakie ładne! – zachwyciłam się. – Alicja, nie sprzedałabyś mi tego?

– Idiotka – odparła Alicja bez emocji. – Mowy nie ma. Możesz dostać po mnie w spadku.

– Zapiszesz mi w testamencie?

– Mogę ci zapisać jak chcesz.

– Chcę. Ale co będzie, jeśli umrę pierwsza?

– Postawię ci na grobie.

Propozycja mi się spodobała, zostawiłam temat w spokoju. Następnym razem ujrzałam szkatułkę po paru latach, w Birkerød. Ucieszyłam się.

– O, znajome pudełko widzę! Czy to jest to z Warszawy?

- To. Twoje spadkowe.
- Zdumiewające, że ci nie przepadło w przeprowadzce.

Nie pali się, mogę na nie poczekać.

Kretyńskie gadanie. Obie uważałyśmy je za dowcip, ale byłyśmy wtedy o prawie czterdzieści lat młodsze. Temat kompletnie wyleciał mi z głowy, ale Alicja pamiętała.

W ostatnich chwilach życia przykazała Małgosi francuskiej dopilnować przekazania mi spadku, kilkakrotnie i z wielkim naciskiem domagała się niemal przysięgi, że jej polecenie zostanie spełnione.

No i zostało.

Sama już nie wiem, co w tej szkatułce trzymać. Gdybym miała diamenty...! Pierwszy raz w życiu naprawdę żałuję, że nie mam.

A z Ryśkiem znów nie pogadałam. Pomijając wszystko inne, w trakcie tego spotkania przysnął, czemu trudno się dziwić. W końcu dopiero co przyleciał z drugiej strony globusa, z Teksasu, i nie zdążył przestawić się w czasie.

Przy okazji odbierania spadku potraktowałam Małgosię francuską obrzydliwie...

Zaraz. Ta dłuuuuuga chwila robi się jeszcze dłuższa, ale niech wrócę do chronologii.

W drodze powrotnej wszystko było dobrze aż do Pasewalk. W Pasewalk tuż przed znakiem drogowym zadzwonił Robert z pytaniem, gdzie jesteśmy i jak przebiegła uroczystość. Zajęta telefonem Małgosia nie patrzyła na drogowskaz, ja patrzyłam, owszem, ale ukryty był częściowo w listowiu drzewa i nie znalazłam na nim właściwego kierunku. Możliwości istniały trzy, w prawo, w lewo i prosto, w prawo i w lewo wydawało się źle, pojechałam prosto i trafiłam na dworzec główny.

Całego błądzenia wypadło niedużo, wszystkiego raptem jakieś dwanaście kilometrów. Reszta drogi, z Neptunem włącznie, przebiegła bezproblemowo, aż nas to zdziwiło.

Nazajutrz po powrocie we własnym ogrodzie pogryzła mnie meszka.

Nie tak, jak w Poznaniu, ledwo trochę, ale wystarczyło. Uprzedzano mnie, że wchłonięcie w siebie nawet odrobiny owej substancji przyrodniczej może być szkodliwe. No i było.

Tyle, że objawiło się odrobinę później.

Zaraz następnego dnia przyjechała Małgosia wołomińska, od której dowiedziałam się ostatnich szczegółów o Alicji, ona to bowiem była przy Alicji do końca. Zamknięcie domu... Rany boskie, wiadomo, że Dania w czasie weekendu nie działa, ale żeby do tego stopnia? Czynności urzędowych dokonano na miejscu, była to jednakże sobota, zatem dom z Alicją w środku zamknięto na mur aż do poniedziałku. Małgosi wołomińskiej wręcz cudem udało się wyrwać własne rzeczy podręczne, bo inaczej aż do zakończenia postępowania spadkowego zostałaby na zewnątrz bez szczotki do zębów, rannych pantofli i nocnej koszuli, nie wspominając o pozostałej odzieży, którą ze sobą przywiozła. Nocowała chyba u Ani duńskiej, po czym wróciła do Polski, nie mając gdzie się podziać.

Po pogrzebie Rysiek musiał jechać do Teksasu, Małgosia francuska na razie jeszcze została w Danii, jakoś tam się podzielili obowiązkami, w czym już udziału nie brałam, bezwiednie szykując się do chwili, kiedy wobec Małgosi francuskiej zachowam się jak świnia. No i okazuje się, że wciąż jeszcze mam daleeeeko...

Ale już trochę bliżej.

A, jeszcze jedno. Znalazł się zaginiony sześciometrowy pręt Alicji do firanek. Podobno leżał wzdłuż ściany atelier, ściśle wetknięty za listwę podłogową, przytłoczony wszystkim i został odkryty dopiero po gruntownym opróżnieniu domu z tego wszystkiego.

CIĄG DALSZY – WSTRĘTNA ŚWINIA.

W dwa dni później wpędzono mnie do budowli morderczej, mianowicie do Pałacu Kultury.

W życiu nie przypuszczałam, kończąc studia i podejmując pracę zawodową, że tyle będę miała do czynienia z Pałacem Kultury, który w owym czasie właśnie z fazy stanu surowego przechodził do fazy wykończeniowej. Całkiem jakby specjalnie czekał, żeby mi dokopać.

Kładłam cegły na budynkach na MDM-ie i podawałam pustaki Ackermanna (drugie piętro nad sklepem Cepelii) w ramach praktyk wakacyjnych, kiedy podarunek radziecki w środku miasta ruszał. Szczęśliwie nie miałam z nim wówczas do czynienia, ale w parę lat później zbrojarze z Pałacu Kultury przeszli wprost na budowę Domu Chłopa, rozbestwieni i znarowieni nieziemsko, trafiając akurat pod moją rękę. Tak się nam fajnie zbiegło.

W żaden sposób nie potrafię sobie przypomnieć, w jakim momencie życia i historii zwizytowałam wnętrze obiektu po raz pierwszy, rzecz jasna, nie całe, wyłącznie reprezentacyjne marmury, w każdym razie klimatyzacja w owym czasie działała i słusznie budziła zachwyt. Między nami mówiąc, równie znakomicie działała wtedy klimatyzacja w kinie „Moskwa", gdzie w upalny dzień letni zmarzłam straszliwie... Byłam na górze, jasne, a co więcej, nie pamiętam. Pałac Kultury mam na myśli.

Przeniosłam się na dół. Nie tylko do restauracji „Kongresowa", którą wizytowałam parę razy dobrowolnie, ale nawet jeszcze niżej. Własną ręką robiłam inwentaryzację podziemi Pałacu Kultury, w celu wykonania założeń na parkingi, co upadło. Ściśle biorąc, ja swoje zadanie spełniłam, ale komisja, złożona z dziewięciu starych i tępych pierników, zrezygnowała z inwestycji, zakładając, że nie będzie nigdy potrzebna, gdzieżby tam kto widział w Warszawie tyle samochodów...! Szlag mnie nie trafił, bo akurat wtedy wyjechałam.

Później, kiedy zaczęły się Targi Książki, odsiedziałam swoje w przeraźliwie dusznych salonach, zaskoczona morderczą atmosferą, dowiadując się dopiero przy tej okazji, że klimatyzacja dawno wysiadła, a żadna wentylacja nigdy nie została przewidziana. Następnie zaś zwiedziłam nie znane mi dotychczas fragmenty monumentu w postaci teatru „Studio", gdzie docierało się nie po żadnych marmurach, tylko koszmarnie obskurną, drewnianą klatką schodową. Możliwe zresztą, że zostałam tam doprowadzona jakąś nietypową trasą, upierałam się bowiem, żeby jak najwyżej dojechać windą, która wyżej już nie dochodziła, w każdym razie owe mało reprezentacyjne zaplecza stanowczo przeczyły przewadze formy nad treścią. Jedyne, co pogodziło mnie z owymi tyłami arcybogactwa i uciążliwą wspinaczką, to uparcie niedoceniany talent Marty Klubowicz, która wystąpiła wówczas we własnym monodramie, i nie tylko, i była absolutnie znakomita.

Do kasyna w dawnej „Kongresowej" nie mam pretensji, chociaż działało dość niemrawo, do samej „Kongresowej" też nie, kiedy bowiem dwóch facetów wleciało do fontanny, scena wypadła wysoce rozrywkowo, przyjemnie mi było nawet, że w końcu tak godna budowla-symbol zawarła w sobie jakąś naganną treść, nigdy jednak do wizyt w Pałacu Kultury serca nie miałam. Nie lubię się dusić, upodobanie jakieś takie dziwne.

No, może nie jest winą Pałacu Kultury, że zaraz po powrocie z pogrzebu Alicji pogryzła mnie meszka w moim własnym ogrodzie.

A była mowa i ostrzegał mnie dermatolog, że jeszcze raz taki kontakt z żyjątkiem, a najzwyczajniej w świecie umrę. I tak niech się cieszę, że po tym ataku w Poznaniu pozostałam w gronie odpornych i uszłam z życiem, ale bez wygłupów, ile można od własnego organizmu wymagać? Żadnej meszki!

Wlazłam pomiędzy klomb i żywopłot niewątpliwie w celu wyrwania zielska albo przycięcia niepotrzebnie wystających gałązek, pełna zapału do pracy, i nagle ujrzałam na sobie malutki, czarny punkcik. Meszka, w przeciwieństwie do komarów, ma to do siebie, że ani się jej nie czuje, ani nie słyszy, kąsa niedostrzegalnie, wiedza o pogryzieniu przychodzi za późno. Czarny punkcik mnie przestraszył, rozejrzałam się bystrzej, o, cholera, siedziało na mnie drugie, latało wokół trzecie i czwarte, straciłam zainteresowanie dla zielska i gałązek, natychmiast uciekłam do domu.

No właśnie, za późno. Substancja z wielką uciechą odezwała się natychmiast i kiedy w dwa dni później wpędzono mnie do Pałacu Kultury, znów było mi wstyd przed ludźmi. Nietaktownym idiotyzmem jest zipać publicznie, z wysilonym uśmiechem wypuszczać z siebie po pół słowa, nie odpowiadać na najprostsze pytania i co pięć kroków szukać miejsca odpoczynku. Nie wiem, co bardziej ucierpiało, moja fizjologia, czy psychika, a w dodatku towarzyszący mi twardo pan Tadeusz zdenerwował się do tego stopnia, że pomylił kierunki i przegonił mnie przez trzy czwarte kręgu nad Salą Kongresową, zamiast przez jedną czwartą. Co odcierpiał, to jego. Przetrzymałam katusze, wyszłam z tego, jak widać na załączonym obrazku, mniej więcej żywa, ale do tej pory bardzo się dziwię własnej odporności. Chyba się wzajemnie nie lubimy, Pałac Kultury i ja.

Co nie przeszkadza, że uważam go za cenny i pouczający zabytek i jestem kategorycznie przeciwna zburzeniu. Uczmy się na błędach minionych pokoleń!

Dobrze byłoby także uczyć się na własnych.

Źle się czułam. Zasięgnęłam opinii fachowców medycznych. Zastosowałam się do rad wyżej wymienionych i zaczęłam żreć codziennie na śniadanko następujący zestaw: trzy łyżki otrębów owsianych, łyżeczkę rodzynek, trzy posiekane migdały, trzy suszone śliwki i mleko. Zimne, goto-

wanego nie znoszę. Nawet mi to bardzo smakowało i nie
miałam żadnych oporów, ale zaczynałam czuć się coraz gorzej, wręcz całkiem chora, co nie było stanem, do którego
przywykłam. Obrzydliwość, zatruwa życie! Znacznie później wyszło na jaw, że nadmiar otrębów owsianych szkodzi
akurat na to, czym uszczęśliwiła mnie meszka, żeby ją
szlag trafił i naprawdę nie życzę jej dobrze.

W tym właśnie stanie, w kalendarzu mam zapisane, że
dziesiątego czerwca, uczczono mnie w Łodzi i bardzo proszę nigdy więcej mnie nie czcić, bo, słowo daję, kiedyś
wreszcie tego nie przetrzymam.

Zdaje się, że pojechałam pociągiem, myślałam, że przez
rozum, po czym okazało się, że z głupoty.

Łódź jest trudna do jazdy. Wiem o tym doskonale, pęta-
łam się po niej mnóstwo razy, a ciągle jej nie znam. Pojęcia nie miałam, gdzie znajduje się budynek Empiku i jak do
niego dojechać, machnęłam ręką i pozwoliłam się wozić.
No i zostałam dowieziona pod zabytkowe wejście do fabry-
ki włókienniczej, dokładnie to, przez które wchodziła kla-
sa robotnicza, w godzinach wolnych od pracy wyrywająca
kamienie z łódzkiego bruku. I tak jeszcze łaska boska, że
nie kazali mi tych kamieni też trochę powyrywać... Wejście było elegancko odremontowane, odnowione i samo
przejście przez nie było wielkim zaszczytem, który powinnam docenić.

Doceniłam zgoła do wypęku.

Za bramą rozciągały się tereny zielone, prześlicznie
ukształtowane, z trawnikami i fontannami, bez ani jednej
ławeczki, a wejście do Empiku widniało pi razy oko z kilo-
metr dalej. Moja dolegliwość miała to do siebie, że każdy
wysiłek fizyczny sprzeczał się z oddychaniem, zdrowotne
marsze, spacery, przechadzki, to było akurat to, co mogło
mnie na śmierć zadusić. Przemierzyłam tereny zielone, bo
co mi innego pozostało, brak ławeczek zauważyłam już
od pierwszego kroku, z całej siły starałam się symulować

podziw dla przyrody, podpierałam się na wszystkim, co nie było giętką rośliną, własną torebkę wtryniłam przerażonemu panu Tadeuszowi, osiągnęłam pożądany budynek, tam zaś okazało się, że do właściwego stoiska zostało mi już tylko jakieś pół kilometra. Udało mi się dotrzeć na miejsce prawdopodobnie tylko dzięki temu, że zajęłam się wysoce intrygującą myślą, jakim cudem zdołam wrócić stąd żywa. A otóż nie musiałam walczyć z torturą, zrezygnowano z oddawania mi czci, być może pod wpływem delikatnych perswazji pana Tadeusza, wyjście na ulicę znajdowało się tuż obok, na ulicy zaś czekał samochód. Diabli nadali, gdybym przyjechała swoim, tu właśnie bym parkowała i na pewno nie pozwoliłabym się przegonić po rewolucyjnych pamiątkach, a w dodatku cały ten Empik mieścił się akurat na wjeździe z Warszawy. Zero uciążliwego pętania się po mieście, zero błądzenia. A tyle razy przysięgałam sobie, że nigdy więcej nie będę rozsądna...!

Przez miesiąc byłam strasznie chora.

Na oko nie było tego widać, poza, oczywiście, miejscami ukąszeń meszki, ale na nią różne antidota posiadałam. W to, co miałam w środku, nikt nie wierzył. Pierwszego lipca złamałam się, zrobiłam wszelkie możliwe badania, których wyniki gdzieś mi się pewnie jeszcze plączą, ale nie wiem jakie były, bo wyrzuciłam je z pamięci. Nie mam pojęcia także, co mi zaordynowano, mój organizm bowiem okazał się mądrzejszy niż cała Akademia Medyczna.

Zażądał mianowicie ode mnie kartofli.

Niczego więcej nie chciał, tylko kartofli. Luzem, gotowanych, w ostateczności mogły być podgrzane w plasterkach na masełku, z koperkiem. Bóg raczy wiedzieć, ile tych kartofli pożarłam przez dwa tygodnie, dość, że nic innego mnie nie interesowało, na śniadanie, obiad i kolację wyłącznie kartofle, ssało mnie do nich, same mi się pchały do gęby. Po dwóch tygodniach wszelkie dolegliwości wewnętrzne przeszły mi jak ręką odjął, kartofle się ode mnie odczepiły i znów zaczęłam je konsumować jak zwykle, ze trzy razy do roku.

Oczekiwałam wizyty dzieci.

Z notatek w kalendarzu wynika, że na brak urozmaiceń nie mogłam narzekać. W pokoju gościnnym przez jedno z okienek w dachu słońce waliło po oczach natychmiast po wschodzie i wykluczało sen nawet osoby niewidomej, należało jakoś to okienko zasłonić. Trójkątne było i sprawiało trudności. Jakieś regały okazały się niezbędne, szukałam ich po sklepach, bezskutecznie, zdecydowałam się na stolarza, który pracował świetnie, ale był konkursowo niepunktualny. Klimatyzacja działała jak chora krowa, bezwzględnie wymagała nie tylko remontu, ale w ogóle generalnej zmiany. Rozleciała mi się brama.

W tym wszystkim, pomiędzy dwudziestym a dwudziestym czwartym lipca miałam jakiś występ w radiu, zdaje się, że na żywo, dwa umówione wywiady i co najmniej dwa felietony do napisania. Do stolarza dzwoniliśmy wszyscy, Małgosia, Witek, pan Ryszard i ja, co najmniej po pięć razy dziennie. Dwudziestego czwartego zaczęli robić bramę i pomiędzy mną a ulicą pojawiło się jedno potężne gruzowisko.

Dwudziestego piątego lipca przyjechały dzieci.

Później przyszli ludzie od klimatyzacji i dokonali radykalnej i pożądanej zmiany. W jakimś momencie pojawił się stolarz i załatwił okno, zdaje się, że regały też, i chyba przyniósł je gotowe. Kłopot sprawiał samochód, bo albo nie można było nim wjechać, albo wyjechać z racji zmiennych sytuacji przy bramie.

Wszystkie komplikacje uległy wreszcie zakończeniu i wtedy wyjechaliśmy na wakacje.

Dam spokój na razie perypetiom podróżniczym, do których, rzecz jasna, wrócę, bo miały swoje konsekwencje, a teraz chcę się wreszcie zbliżyć do Małgosi francuskiej i własnego ześwinienia. Dzieci po odwaleniu ruchliwych wakacji odleciały do Kanady, ja zaś po raz trzeci udałam się w celach leczniczych do La Baule.

Uczciwie mówiąc, wciąż czułam się okropnie. Panował dziki upał, wejście do morza sprawiało mi trudności, bo w Nicei plaża jest wściekle kamienista, odpadał zatem zabieg kojący, później się zajmę szczegółami, klimatyzacja w samochodzie zaczęła nawalać, coś w nas zgrzytało kompletem uzębienia, no nic, ogólnie było rozrywkowo, dość, że, jak mówię, dzieci odleciały. Prosto z lotniska ruszyłam na Lille, bo umówiona byłam z Małgosią francuską, u której miałam się zatrzymać.

To znaczy, chciałam ruszyć na Lille.

Po krótkim odcinku drogi okazało się, że jadę z powrotem do Paryża. Zawróciłam, dotarłam do lotniska i ponownie ruszyłam w zaplanowaną trasę, wypatrując drogowskazu na Lille, który za każdym pobytem na Charles de Gaulle rzucał mi się w oczy i pchał pod koła. Musiał istnieć!

Okazało się, że znów jadę do Paryża.

Wątpliwości, czy w ogóle jestem jeszcze normalna, szybciutko usunęłam z rozważań, nie miałam teraz czasu na tak głębokie, naukowe przemyślenia. Zawróciłam na lotnisko, uparłam się.

Ściśle biorąc, nie miałam żadnego interesu w Lille i wcale nie chciałam tam dotrzeć, potrzebny mi był kierunek na Rouen. Doskonale wiedziałam, że plątanina rozjazdów dookoła portu lotniczego bezproblemowo wyprowadza na trasę do Rouen z całkowitym pominięciem paryskiej Périphérique, której sobie akurat wcale nie życzyłam, i dociera się do właściwej autostrady w okolicy Pontoise ze śpiewem na ustach. Pierwsze odbicie następuje dokładnie tam, gdzie stoi drogowskaz na Lille, potem się te trasy rozchodzą, musiałam zatem pojechać na Lille.

Skręciłam na Lille za czwartym razem i to wyłącznie dlatego, że w miejscu dokładnie zapamiętanym miałam tylko dwie możliwości, jedna już trzykrotnie wywiodła mnie na manowce, drugą uparcie omijałam. Przemogłam się wreszcie, no i owszem, to był właśnie zjazd na Lille, i drogowskaz stał, dlaczego nie, tyle że był ukryty w koronie drzewa i pojawiał się, lśniąc wesolutko, dopiero, kiedy zaczynało się skręcać. Od razu przypomniałam sobie Bachczysaraj i Sewastopol.

Jechałam do Małgosi francuskiej, to znaczy do Les Andelys. Teoretycznie. W praktyce miałam wjechać do miasta, być może właśnie do Les Andelys, ale za to głowy nie dam, bo we wskazówkach, udzielanych mi przez Małgosię telefonicznie, pojawiało się mnóstwo rozmaitych innych nazw. Także rynki. Miałyśmy się spotkać na rynku którejś z tych miejscowości, w kawiarni na rogu, skąd ona mnie do siebie dopilotuje. Na rynek jest wjazd tylko dla miejscowych, dla mieszkańców, ale istnieje drugi rynek z wjazdem dla wszystkich i pomieszały mi się w końcu zarówno rynki, jak i instrukcje. Pamiętna komunikatów o Gentofte, nie dziwiłam się zbytnio, uznałam, że prędzej czy później sprawa się wyjaśni, jak wiadomo bowiem, jeszcze nigdy tak nie było, żeby jakoś nie było. Dojechałam do omawianej miejscowości wedle drogowskazów.

Znalazłam rynek, znalazłam nawet kawiarnię na rogu, okazało się, że to nie ten rynek i nie ta kawiarnia, ale nie szkodzi, znalazłam także przez komórkę Małgosię francuską i metodą „co widzisz przed sobą?" zdołałyśmy się spotkać. Za jej zderzakiem dojechałam do posiadłości, którą powinnam doskonale znać, bo tam właśnie przed laty ustawiałam razem z nią książki. To śliczny dom, przerobiony ze starego dworku, o ile tak można go nazwać, z kuchnią, w której kiedyś mieściła się wozownia czy też inne podobne pomieszczenie. Obecnie jest urocze.

Lepiej jednakże poznałam tę górę z książkami i obrazami niż całość budowli i w życiu bym tam nie trafiła, szczególnie, że drzewa wokół urosły i zasłoniły wszystko. Zjedliśmy kolację, z mojej inicjatywy wypiliśmy trzy butelki

wina, Małgosi rzecz jasna, nie mojego, przenocowałam
w pokoju dziecinnym, pełnym rozmaitych lalek i zabawek,
ale na szczęście pozbawionym dzieci, całe otoczenie zaś
zostało złagodzone kotem, który przyszedł i położył się
spać w dziecinnym łóżeczku.

Małgosia z ulgą i triumfem
wręczyła mi spadek po Alicji, „Wykład Profesora Mmaa",
i szkatułkę, a powinnam chyba do niej zadzwonić, bo coś
w tym było upiornie ciężkiego i za skarby świata nie mogę
sobie przypomnieć, co. Może szkatułka miała jakąś zawartość, no dobrze, ale jaką...?!

Ceramika...? Rozmawiałyśmy o całym ceramicznym
dorobku Alicji, z szaloną energią protestowałam przeciwko wyrzuceniu, stanęło na tym, że, pozostawiwszy sobie
i Ryśkowi skromne pamiątki, resztę Małgosia przyśle mi
albo przywiezie do Warszawy. Prawie wszystko zostało
jeszcze w Birkerød, katorżniczą pracę należało tam odwa-
lić, ponadto transport napotykał trudności, umówiłyśmy
się w końcu, że skorzystamy z okazji, jeden znajomy facet
jeździ co jakiś czas samochodem z Danii... a może ze
Szwecji...? ...do Warszawy, zawadzi o Birkerød i zabierze.

Nazajutrz Didier pomógł mi się zapakować i odjecha-
łam do La Baule.

Teraz uczynię skok w czasie, do przodu, żeby masochistycznie i ze skruchą wyeksponować wreszcie własne ześwinienie.

Jakoś tak na jesieni, już po moim powrocie do domu,
razem ze znajomym człowiekiem i ceramiką przyjechała
Małgosia francuska. Byli u mnie, przywieźli mi ten cały na-
bój, siedzieli w moim salonie. Małgosia razem z ceramiką
przywiozła także i flachę.

Nocowałam u niej? Nocowałam. Żarłam kolację
i śniadanie? Żarłam. Wytrąbiłam półtorej butelki wina?
Wytrąbiłam. Przywieźć natomiast, nie przywiozłam niczego.

Alicja, nieco młodsza niż w chwili, kiedy ją poznałam.

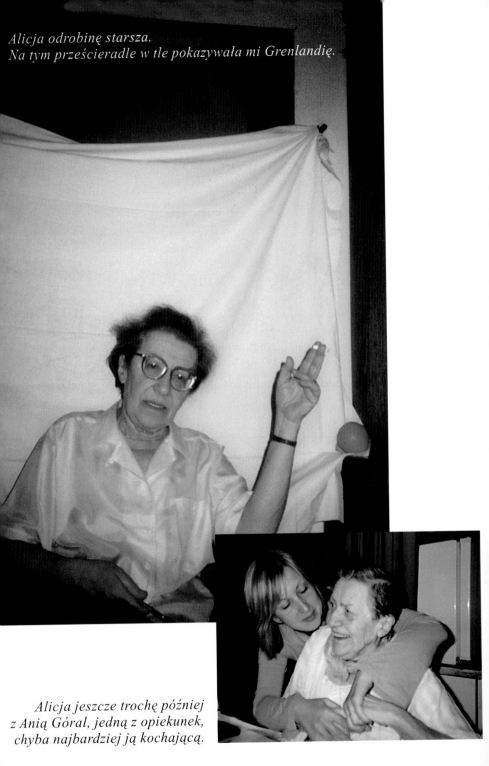

Alicja odrobinę starsza.
Na tym prześcieradle w tle pokazywała mi Grenlandię.

Alicja jeszcze trochę później
z Anią Góral, jedną z opiekunek,
chyba najbardziej ją kochającą.

Widać, że pogrzeb.
Trzy róże, które, mam nadzieję, widać na trumnie,
to właśnie te od Julity, Martusi i Grażyny.

Grób najpierw tylko Thorkilda, a teraz także Alicji.
Przepraszam, nie żaden grób, tylko to sanatorium w Szwajcarii.

Stypa w lokalu zastępczym, zamiast w baraczku nad jeziorem.
Z prawej dwie ostatnie osoby, to Małgosia francuska i Rysiek,
pierwszy z lewej, ten z fajką w ręku, to Didier.

Spadkowa ceramika Alicji.
Popielniczka.

Jak wyżej.
Też popielniczka.

Wciąż jej ceramika.
Można to uważać za doniczkę.

Nie wiem co, ale ładne.

Popielniczka ze szkła, bo szkło Alicja też robiła.
Przyjechawszy do mnie, obejrzała przedmiot i powiedziała:
– Jakie to ładne! Skąd to masz? – Idiotka – odparłam grzecznie. –
Przecież sama to robiłaś i dałaś mi w prezencie.
– Co ty powiesz? – zdziwiła się. – Naprawdę takie ładne zrobiłam?

Spadkowa szkatułka
z tajemniczym kamieniem na środku.

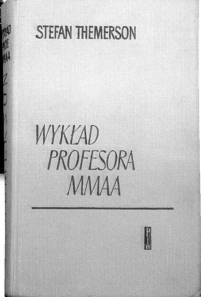

STEFAN THEMERSON

WYKŁAD
PROFESORA
MMAA

Spadkowy profesor MMAA.

Jadowite zielsko, które właśnie zaczynało zarastać ogród Alicji
i przeraziło mnie śmiertelnie.
W dwa dni później było dwa razy bujniejsze.

*Tajemnicze czerwone mieczyki,
które z niepojętych przyczyn wyrosły u mnie w ogrodzie.*

I tak właśnie kładły się na trawie.

I, jak widać, rosły w kępach i szeregach.

*Po przekwitnięciu białych zaczęły ujawniać inne barwy
ku jeszcze większemu naszemu zdumieniu.*

Tak rozszalały się hortensje, którym nikt w tym nie pomagał.

Wycinałam te hortensje, ile mogłam, bo koło domu nie dawało się przechodzi

Róże, źle potraktowane, dostały jakiegoś szału.

Święty imbir trujący, widać, że na śniegu.

Coś wycinałam z pewnością, ale już sama nie wiem, co to było. Samo rosło.

Wierzba zarosła róże i próbowałam ją skurtyzować. Była szybsza ode mnie.

Jeden uroczy ślimaczek i na roślinach widać skutki jego apetytu.

Sympatyczniejsze ślimaczki w szerszym gronie.

Ohydne czarne gluty. Kto nie chce patrzeć, niech zamknie oczy.

Robert i Małgosia w pierwszej fazie walki.

*Robert już z bronią w dłoni. Na torebce napisane, że to sól.
Małgosia z początkami zdobyczy.*

A ona u mnie dostała szklankę wody mineralnej, niegazowanej. Jasne, że spytałam, czyby czegoś nie chcieli, kawy może, herbaty...? Zjeść coś...? Obawiam się, że ton pytania wykluczał odpowiedź pozytywną i nawet nie jestem pewna, czy o tym zjedzeniu napomknęłam, zapraszanie i zachęcanie było poza horyzontem. Na dnie umysłu i duszy popiskiwały mi wyrzuty sumienia, stłamszone tak, że nie ośmieliły się pisnąć wyraźniej, siedziałam jak pień, wydający z siebie niemrawe dźwięki, jak Boga kocham, najobrzydliwsza baba w dziejach świata! Na kolanach i z mieczem w dłoni mogę przysiąc, że nie ze skąpstwa. Co prawda, za obfitość pożywienia w moim domu i w tamtym okresie głowy nie dam, ale z pewnością plątał się gdzieś żółty serek, jajka, może jakieś szprotki, zamrożona ryba dla kotów, pieczywo... Nie, z pieczywem u mnie nie najlepiej, były zapewne suche bułki do utarcia i tostowy chlebek, nieco przypleśniały, ale nawet i z takich produktów potrafiłabym przyrządzić posiłek, gdybym w ogóle była zdolna do wykonania czegokolwiek. Nie byłam zdolna. Generalnie rzecz biorąc, było mi wszystko jedno.

Zdechłość kompletna i radykalna opanowała mnie dokładnie i zapewne wspomogła ją pogoda. Przez tę cholerną meszkę na starość stałam się nagle meteopatą, reaguję na każdą zmianę ciśnienia, najdrobniejsza różnica mnie kładzie. No dobrze, kładła, może teraz już mniej, bo poddałam się zabiegom leczniczym, ale właśnie w chwili wizyty Małgosi francuskiej było najgorzej. Nie zatrzymywałam ich, poszli, pudeł z ceramiką Alicji nawet nie dotknęłam, za to wyrzuty sumienia przedarły się przez chorobowe warstwy otępiające, ruszyły ostro i gnębią mnie do tej pory. Nawet nie bardzo wiem, jak ją przepraszać.

W planach mam rodzaj przeprosin raczej dość osobliwy. Mianowicie złożyć jej wizytę razem ze wszystkimi dziećmi, zwalić się jej na głowę, obeżreć dom... No nie,

wino nie, są jakieś granice, wino oczywiście przywieziemy
ze sobą.

   To, które ona przywiozła, wypiłam za jej zdrowie, przy
czym nasza Małgosia chichotała szatańsko i możliwe, że
wtórowała jej Alicja z zaświatów. Pewnie, im dobrze, bo
nie one wywinęły taki głupi numer, tylko ja.

   Chyba to było najgrubsze ześwinienie, jakie mi się przytrafiło w życiu. I naprawdę okropnie mi głupio, sumienie
gryzie mnie z uporem, wcale nie chciałam być aż taka
wstrętna. Gdybym jej chociaż nienawidziła, a skąd,
w gruncie rzeczy bardzo ją lubię!

☆ ☆ ☆

   Teraz mogę uczynić dla odmiany skok do tyłu i cofnąć
się na teren tej całej martyrologii, która spadła na mnie
i spaskudziła mi co najmniej rok życia, żeby ją szlag trafił.
Po jaką czarną ospę wlazłam w ten gąszcz, tak mi okropnie
przeszkadzało zielsko i kretyńskie gałązki...?! Jedno i drugie zostało załatwione później i nic się nie stało.

   Tym razem wszyscy czworo, dzieci i ja, wybraliśmy się
nad Morze Śródziemne, bo raz wreszcie chcieli zobaczyć
Monte Carlo. Tidżeja z nami nie było, podłapał robotę
i postanowił spędzić wakacje racjonalnie i odpowiedzial-
nie, a i tak zastanawialiśmy się, co zrobić z samochodem,
jeśli będziemy jechali w pięcioro. Zamienić go na mikro-
bus? Dołożyć mu przyczepę? Kupić w ogóle większy?
Niby można, ale choćbym pękła, większy nie zmieści mi
się w garażu...

   Do chwili, kiedy to piszę, decyzja nie została podjęta.

   W każdym razie jechaliśmy we czworo, przez Wiedeń,
żeby Monika zobaczyła Prater i te cholerne żywe motyle.
No, a do Wiednia przez Cieszyn.

   O, tu będzie dygresja. Tak dawno nie było, że wręcz się
pcha. O Aleksandrze. Znaczy, Oleńce.

Napisałam o niej dość dawno temu, nie rozwodząc się zbytnio ze względu na uczucia osób blisko ze sprawą związanych, z moją cioteczną ciotką Lilką na czele. Tyle jednakże już lat minęło od chwil dramatycznych, przerażających, gnębiących, i tak bardzo zmienił się stosunek Oleńki do samej siebie i jej matki do niej, że może powinno się nawet coś dołożyć.

Lilka jest, co niewątpliwie wyjaśniłam wcześniej, moją kuzynką, dokładnie właśnie cioteczną ciotką, czyli córką siostry mojej babki i cioteczną siostrą mojej matki, przy czym jesteśmy w jednym wieku. Zdaje się, że ona jest o rok starsza ode mnie, co obecnie już nie ma żadnego znaczenia, szczególnie, że wygląda o piętnaście lat młodziej.

Aleksandra przy swojej anoreksji pozostała, jak na rodzaj dolegliwości trzyma się świetnie i nikt nie potrafi zrozumieć, skąd bierze tyle siły. Lata po górach jak z pieprzem, jeździ na rowerze, podjeżdżając pod górę w miejscach, gdzie musiałam w samochodzie wrzucać dwójkę, bardzo jej szkodzi nieruchawość, tyle że odżywia się w sposób dość nietypowy i mocno ograniczony, można powiedzieć: ascetycznie. Sama tego żałuje i teraz dopiero stwierdza, że zapadła na swoją anoreksję z głupoty. Wszystkie dziewczyny chce przed idiotyzmem ostrzec, kazała mi pokazywać jej zdjęcie na prawo i na lewo, gdzie popadnie. Rzekła przy tym:

– A proszę bardzo, niech popatrzą, może odzyskają rozum i przynajmniej taki będzie ze mnie pożytek.

I miała rację, zaprezentowałam jej podobiznę Angelice w Piaskach, Angelika, która odchudzała się maniacko, do tego stopnia, że mdlała z głodu, po obejrzeniu wizerunku z dnia na dzień zmieniła poglądy. Odchudzanie przeszło jej jak ręką odjął.

Znalazłszy się z wizytą u mnie, obie z Lilką obleciały na piechotę całą okolicę z parkiem wilanowskim, ogrodem botanicznym w Powsinie i wałem wiślanym włącznie, sama nie wiedziałam, jak niezwykłe obiekty dookoła mnie się znajdują, po czym Oleńce jeszcze było mało. Przed wieczorem ponownie wybrała się na spacer.

– Niech leci – powiedziała Lilka. – Chora będzie inaczej. Ja jestem, zdaje się, parę lat starsza i mam tego ruchu po dziurki w nosie, bardzo chętnie spokojnie posiedzę.

Aleksandra opisała dzieje swojej choroby, opisała je bardzo ładnie i bardzo rzeczowo, należałoby ten tekst rozpowszechnić wśród młodocianych kretynek, ale nie wiemy jak to zrobić. Za długie na felieton, za krótkie na książkę. Szkoda.

Koniec dygresyjki.

Rzecz jasna, korzystamy z każdej podróży w kierunku południowym, żeby zatrzymać się w Cieszynie i tym razem było tak samo.

Oczywiście panował upał. Rotundę cieszyńską oglądałam parę razy i oznajmiłam, że nie idę w plenery, niech lecą sami z Lilką, poczekam w samochodzie. Żeby jednak z samochodu wysiąść, a także w nim czekać, należy go uprzednio zatrzymać i nawet zaparkować. Lilka pokazywała palcem, którędy jechać, parking istniał, miejsca było mnóstwo, kultura i cywilizacja pełne, parkingowy latał pod murkiem i w dbałości o racjonalne ustawianie uprzejmie prosił, żeby jeszcze trochę w lewo, trochę w prawo, prostopadle, nie na skos...

Łaska boska, że przy kierownicy siedział Robert, a nie jego mamunia. Nagle coś mi się stało, w ciągu dwóch minut mniej więcej spęczniał we mnie i wybuchł dziki wulkan, gdybym sama parkowała, przejechałabym parkingowego, grzmotnęłabym w mur, nie wiem jakie jeszcze szkody mogłabym poczynić, a tak, uwięziona we wnętrzu pojazdu w ruchu, zrobiłam tylko znienacka wściekłą awanturę, kompletnie niewspółmierną do sytuacji. Przeraziłam wszystkich.

– Odjeżdżaj stąd! – wrzeszczałam. – Wynocha! W dupie mam rotundę! Zabij tego palanta! Niech się odpieprzy, ale już!

I jeszcze dużo różnych innych rzeczy. Parkingowy chyba też się wystraszył, gdzieś nas w końcu ulokował, a sam uciekł, dzieci poszły oglądać, tylko Robert został, zrobił zdjęcia i wrócił do samochodu, mój wulkan wypluł z siebie zawartość i uspokoiłam się równie nagle, jak wybuchłam. Syczały jeszcze jakieś resztki, ale już byłam zdolna zastanowić się, co mnie napadło i o co mi chodzi, dlaczego ten niewinny, grzeczny i sympatycznie wyglądający facet wzbudził we mnie takie piekielne furie?

No i odgadłam prawie natychmiast. Jasne, przecież od wczoraj jestem w górach!

Tak, niestety, wygląda mój stosunek do gór i gór do mnie. Wiem, że Beskid Śląski, to nie Himalaje, ale co z tego? Malutka odmienność klimatu pika w atmosferze i odnosi się do mnie nieprzychylnie, co miewa skutki rozmaite i z reguły żałosne, co z tego, że widoki piękne, a powietrze świeżutkie, skoro w moim wnętrzu siedem smoczych głów od razu zaczyna zęby szczerzyć i warczeć ostrzegawczo. Nad morzem proszę bardzo, może wicher wiać, deszcz lać potokami, sztorm szaleć i zamieć śnieżna walić po oczach, słońce żywym ogniem palić, nie szkodzi, mnie się wszystko podoba. W górach wręcz przeciwnie.

Tylko Zosia mnie doskonale rozumie i zrozumiała także pod tą rotundą cieszyńską, ona też trawersuje góry z zaciśniętymi zębami. Pchaliśmy się potem przez Bratysławę do Wiednia byle prędzej, byle z tych pagórków wyjechać, wzajemnie pytając, czy ta Europa nigdzie nie jest płaska...?

Na Praterze zgubiłam okulary. Ześlizgnęły mi się z szyi nie wiadomo kiedy i w którym miejscu, zapasowych oczywiście nie miałam i musiałam kupić zastępcze, bo niemożność odczytywania drobnego druku doprowadziłaby mnie zapewne do stanu dalekiego od człowieczeństwa. Nie były cudowne, ale dało się z nimi wytrzymać.

Tu wtręt należy uczynić, bo na dygresyjkę to za mało, więc właśnie wtręt. Może wtręcik. O przeczuciach i zdumiewającym rozsądku mojej duszy. Gdybym tej duszy zawsze słuchała, zapewne całe moje życie wyglądałoby inaczej i znacznie korzystniej. W kwestii okularów odezwała się również w chwili wyjazdu z domu, zapasowe leżały na samym wierzchu, na szafce kuchennej, przy drzwiach, piknęła ostrzeżeniem, nie zostawiać ich, zabrać ze sobą jako zapasowe, bo co mi szkodzi. Zlekceważyłam delikatne piknięcie, jakoś nie bardzo je lubiłam i rzadko używałam, zostawiłam, nie wzięłam. Łatwo zgadnąć, że na Praterze wytknęła mi głupotę raczej dość gromko i bezlitośnie.

Więcej było podobnych wypadków, zostaw tego faceta, mówiła w swoim czasie, nic dobrego z tego nie wyniknie. O, rzeczywiście, młodej kretynce mówić takie rzeczy! Mogła sobie później darować złośliwe wypominanie i wyrzuty, odpracowałam je za nią, patrzeć na siebie nie mogłam. Okulary na Praterze zaliczały się do przypadków wręcz klinicznych.

Jeszcze do tego tematu wrócę.

W Les Sables bankomat ukradł mi kartę kredytową, bezprawnie, bo od razu za pierwszą próbą podjęcia pieniędzy. Nasza wina, nie odczytaliśmy dokładnie wszystkich napisów i nie zauważyliśmy, że ten akurat oddział banku razem ze swoim bankomatem będzie czynny dopiero za tydzień, a na razie jeszcze nie działa. Mógł ją wypluć z powrotem, świński ryj, to nie, podwędził, i odzyskałam ją dopiero w dwa miesiące później, w Warszawie.

Jakoś nie najlepiej trafialiśmy na hotele. Gwiazdek dużo, a mankamentów jeszcze więcej. W Nicei wreszcie wykryłam przyczynę.

Rezerwacji dokonywał Robert z Kanady i odruchowo, bez zastanowienia, oparł się na amerykańskiej grupie eleganckich, czterogwiazdkowych hoteli "Bestwestern", co okazało się strasznym błędem, który powinnam była przewidzieć. O kant tyłka potłuc taką elegancję! Amerykanie lekceważą Europę, dla nich to coś takiego jak ubogi krewny, ochłap dostanie i też się cieszy. Ich cztery gwiazdki ledwo sięgają francuskim trzem, a bywa, że schodzą nawet do dwóch. Dokonałam tego odkrycia już przed laty, w Euro Disneylandzie, kiedy zwiedzałam go razem z Iwoną i Karoliną, po czym doświadczenie zupełnie wyleciało mi z pamięci i nie ostrzegłam Roberta. Nie chcę więcej mieszkać w amerykańskich hotelach w Europie, z dwojga złego wolałabym chyba francuskie w Ameryce. Ale i tak do żadnej Ameryki nie pojadę.

Zważywszy rozmaitość i liczbę hoteli, w jakich mieszkiwałam, nie potrafię sobie przypomnieć, które detale były najuciążliwsze i która niewygoda dotyczyła akurat tej grupy, w każdym razie z pewnością nie było tam ani restauracji, ani kawiarni, ani nocnego baru, ani w ogóle nic. Szczęście jeszcze, że na Promenade des Anglais hotele stoją jeden przy drugim, ściana w ścianę, i ten obok dysponował usługami spożywczymi w obfitości, co było cenne głównie dla mnie.

To przeze mnie biednym dzieciom ograniczyły się rozrywki. Ani jednej nocy nie spędziliśmy na salonach kasyna w Monte Carlo, nie zwiedziliśmy nawet połowy atrakcji, zmarnowaliśmy potworną ilość czasu na kretyńskie odpoczynki, przeze mnie ustawicznie trzeba było szukać miejsca na parking, stanowiłam kulę u nogi i łańcuch u szyi. Istny potwór! Wcale nie chciałam i wcale nie miałam takiego zamiaru, mogli mnie zostawić byle gdzie, na plaży albo w kasynie, i lecieć w dowolne plenery, ale jakoś się do tego nie rwali, może w obawie, że po powrocie zastaną mamunię w postaci trupa. Dobrze chociaż, że znajdowaliśmy się w jednym z najładniejszych miejsc Europy, dzieci znały wybrzeża Morza Śródziemnego od przeciwnej strony, afrykańskiej, strona europejska spodobała się im znacznie bardziej. Uporczywie czułam się jak prawdziwy, rzetelny ekshum. Zramolałe próchno. Paralityczka. Dusza spragniona była normalnych, ludzkich działań, kadłub nie życzył ich sobie kategorycznie. Przejście wąskim pomościkiem... o, to właśnie było moje nieszczęście!... żeby zejść po drabince wprost do wody, a nie szlajać się bosymi nogami po kamieniach, było mi niedostępne, kłaniał się zawrót głowy. Byłam na siebie wściekła, a do tego wszystkiego jeszcze w kasynach przegrywaliśmy. Wszyscy, jak leci, można w ostateczności zrozumieć Zosię i Roberta, kochają się wzajemnie, można zrozumieć Monikę, kocha ją Tidżej, ale dlaczego ja?! Co za cholera podła tak mnie sobie upodobała?!!! Gerontofil niedojony!!!

Napisałam już o tym z pewnością, zapewne niejeden raz, ale powtórzę. Istnieje zasada: albo szczęście w miłości, albo szczęście w grze. Istnieje wprawdzie także i druga zasada, mianowicie: jak nie idzie, to nie idzie! Tej jednakże nie należy brać pod uwagę, żeby nie popaść w depresję i beznadzieję, raczej już rozglądać się za obrzydliwym jołopem, który na nas zachwycone gały wytrzeszcza, i przez drobne roztargnienie wleźć mu, na przykład, cienkim obcasem na nogę. Może go zachwyt odejdzie.

A propos wyżej wymienionych zasad przypomniało mi się właśnie wydarzenie z Deauville, o którym w miejscu właściwym nie napomknęłam, bo chyba jakoś wyleciało mi z głowy. A, wiem! Pochodzi z okresu przegrywania, którego szczegóły niechętnie wspominam. Stąd zaniedbanie.

Czatowaliśmy na automaty. Była to grupa takich czterech z jackpotem, ulokowanych akurat obok siebie, nas było czworo, jackpot zaś nad nimi wisiał potężny, osiemset tysięcy euro z groszami, przyjemna kwota. Chcieliśmy sobie na tym pograć, beznadziejnie, ale z nadzieją, o ile ktoś tę subtelność potrafi zrozumieć, tymczasem przy jednym z nich, nawet nie na skraju, tylko w środku, siedział facet. Z pozostałych trzech ostatni też był zajęty.

No nic, może bałwan przegra wszystko co ma i pójdzie. Zajęliśmy dwa wolne.

Bałwan wygrywał. Nikt z nas się na niego ordynarnie nie gapił, nie rób drugiemu, co tobie niemiło, ale dźwięk ustawicznego przelatywania na kredyt świdrował w uszach. Zważywszy obcy kraj i obcy język, Deauville Polakami tak znowu nie kwitnie, przerzucaliśmy się uwagami z dużą swobodą i obawiam się, że sama zaczęłam.

Osobnik wyglądał zwyczajnie. W średnim wieku, powiedzmy, że w początkach drugiej połowy tego średniego wieku, dość okrągły, krótko ostrzyżony, nieco łysiejący, mógłby się nawet wydawać sympatyczny, gdyby nie zajęcie, jakiemu się oddawał. Pogawędka nad jego głową brzmiała mniej więcej następująco:

– Żadna baba na niego nie leci, gwarantowane.

– Żona go nie kocha.

– Wcale. Do głowy by jej nie przyszło.

– E tam, nie kocha. Patrzeć na niego nie może!

– Zdradza go w ogóle.

– Jakie w ogóle, w tej chwili!

– Ogólnie w ogóle, a w tej chwili w szczególności. Baran tu siedzi...

– ...a ona tam się gzi z gachem. Po barłogu się poniewiera, aż wióry lecą!

– I jeszcze się z niego natrząsają!

(Zdaje się, że to Monika.)

– A może do tego ma jaką na boku i ona też go zdradza...

– ...w tej chwili! I z jakim ogniem, patrz, znów mu leci...

– Nie będę patrzeć, obrzydliwość mnie bierze. Żonę też
do niego obrzydliwość bierze.
   – Ale co wy, kota macie?! On jest piękny, zachwycający,
wygrywa, bo go nie lubimy...
   – Mamunia, zwariowałaś...?
   – Kto nie ma powodzenia, ten wygrywa!
   – A...! A żona...?
   – Żona też, suka głupia, gacha w łóżku szarpie, a my
przez nią przegrywamy! Kochajmy go!
   – Ja go kocham. Lecę na niego. Zaraz mogę żonę z nim
zdradzać!
   (To Zosia.)
   – Tu, w kasynie?
   (To chyba Robert.)
   – No a gdzie...? Po prostu go uwielbiam, jest najpięk-
niejszy na świecie!
   – Kwestia gustu, żona jest innego zdania. Znudził się jej
śmiertelnie i tych gachów ma w zapasie parę sztuk. W ko-
lejce stoją...
   Facet zaokrąglił sobie kredyt i przestał grać, nie przegraw-
szy wcale. Wyraz twarzy miał bardzo rozweselony. Wziął
kwitek, zlazł z fotela i poszedł, na pożegnanie rzekłszy:
   – Do widzenia państwu...
   Rozumiał, cholernik, po polsku...!!!
   Mieliśmy wielkie nadzieje, że może nas znielubił, ale,
wnioskując z rezultatów, chyba raczej pokochał...
   Razem wziąwszy, w owym okropnym roku 2006 nie było elementów, które mogłyby wywrzeć pozytywny wpływ
na moje samopoczucie, chociaż z kompromitacją w Deauville nie miało to nic wspólnego.
   Zaraz potem nie mogłam trafić na Lille, potem byłam
u Małgosi francuskiej, a wreszcie udałam się do La Baule
po ostateczną klęskę.

Klimatyzacja w samochodzie jęła świadczyć usługi coraz bardziej fanaberyjnie. Działała, przestawała działać, znów podejmowała pracę wedle jakichś własnych zachcianek i poglądów. Między Małgosią francuską a La Baule odległość była stosunkowo niewielka, usiłowałam jechać możliwie wolno, żeby nie przyjechać za wcześnie, bo nie wypada, ale samochód miał własne zdanie i ledwo zdążyłam się odrobinę zamyślić, już przyśpieszał. Wrzesień we Francji nie zalicza się do miesięcy chłodnych, wszystkie okna miałam otwarte, wstrętna zaraza chłodziła przez kwadrans, po czym wypinała się na mnie częścią niewątpliwie tylną. Oglądałam krajobrazy, znalazłam jakąś zachwycającą knajpę, którą nawet specjalnie zaznaczyłam na mapie, tylko, niestety, zapomniałam, na której, a map drogowych Francji posiadam zatrzęsienie. No nic, może się kiedyś znajdzie... Jak na złość, nie zabłądziłam nigdzie, półżywa z gorąca dojechałam do hotelu w La Baule i o wpół do drugiej zatrzymałam się na parkingu.

I naprawdę nie wiedziałam, co zrobić.

Iść do recepcji? Już raz taką nieprzyzwoitość wywinęłam. Zostawić pudło i spróbować coś zjeść? Jeszcze bym zdążyła... Siedzieć na tyłku i czekać...?

Hotel zaprezentował wyższy poziom niż ja, obsługa wybiegła i wykazała szaloną skłonność do wywlekania bagaży. Zarazem dowiedziałam się, że ależ oczywiście, pokój już czeka, wcale nie jestem za wcześnie, bar śniadaniowy jeszcze czynny, świat mi leży u stóp. Ucieszyłam się i rozpoczęłam kurację.

Może bym w ogóle zdechła, gdyby nie ta kuracja, chociaż zrobiłam co mogłam w celach przeciwnych. Znaczy, żeby sobie zaszkodzić. W dużym stopniu mi się udało.

A bo co? Czy ja nie mam prawa być starą kretynką? Niby z jakiej racji?

Trudno właściwie ocenić, co z czego wynikło, które z którego się rozmnożyło. Być może, ziarno rzucił pan doktór kardiolog, zaleciwszy mi czerwone wino, kieliszek lub dwa pod wieczór. Dobrze robi na krążenie. Dzieci, póki jeszcze były, potraktowały zalecenie poważnie i z ust mi wyrywały najmniejszą nawet kropelkę białego, co w obliczu ostryg stało się w końcu nie do zniesienia.

W nosie mam reguły, rządzące światem uczt, biesiad i wyszukanych posiłków, kicham na święte przykazania smakowe, mogę pić białe wino do dziczyzny i czerwone do kotletów rybnych, ale wszystko ma swoje granice. Ostrygi z czerwonym winem nie idą. No nie idą i cześć!

W towarzystwie dzieci z rozpaczy piłam do ostryg wodę mineralną, a zalecane czerwone wino oddzielnie, dopiero po paru godzinach. Brakowało mi czasu, bo na kolejny posiłek oczywiście znów jadłam ostrygi. Nic nie poradzę, kocham ostrygi i do diabła z czerwonym winem!

W La Baule wreszcie nikt mnie nie pilnował. Rychło wykryłam, że po pierwsze, w restauracji hotelowej jadłospis jest przygnębiająco dietetyczny, po drugie, dysponują tylko jednym rodzajem ostryg, po trzecie, takiej ordynarnej potrawy jak mule, które też uwielbiam, nie serwują wcale, po czwarte, w restauracji kasynowej ostrygi są lepsze, a mule w różnych sosach ile chcąc, i po piąte, w ogóle jest tam znacznie taniej. No to co miałam zrobić? Jasne, że latałam na posiłek do restauracji kasynowej i jasne, że do ostryg piłam białe wino.

Pół biedy jeszcze, kiedy zabiegi lecznicze wypadały mi po południu, z ostrożności i grzeczności przy lunchu białe wino ograniczałam, wyrzuciliby mnie chyba za drzwi, gdybym próbowała wleźć do basenu na najlżejszej nawet bani, o, nie, żadne takie, ale za to po zabiegach porannych swoboda popołudniowa radośnie ruszała. Ruszała także przy kolacji, z tym że z kolacją różnie bywało, bo umykała mi niekiedy godzina zamknięcia knajpy...

Łatwo chyba zgadnąć, że skoro już znalazłam się w kasynie...

Z całej siły starałam się grać delikatnie i możliwie mało przegrywać, świetnie pamiętając, że mam zły rok. No i zgadzało się, był zły. Tym bardziej zatem, ilekroć przytrafiała mi się przyzwoitsza wygrana, korzystałam z niej z zapałem, zadowolona, że nie własne przegrywam, tylko kasynowe. W dodatku istniał dodatkowy bodziec, na który wcześniej jakoś nie zwróciłam uwagi, dokopał mi dopiero tym razem.

Otóż przy wygranej, bez względu na jej wysokość, automaty część żetonów wypluwały w naturze i jeśli chciało się z fartu skorzystać, należało z tym wyplutym lecieć do kasy. Nie czaić się na dwadzieścia tysięcy euro, tylko skromnie poprzestać na dwóch. Poprzestawałabym, słowo daję, gdyby nie upiorny ciężar żelastwa, nie do udźwignięcia dla mnie jednym kopem, dawno minęły czasy wnoszenia na trzecie piętro grubego dziecka w wózku i szesnastu kilo zakupów, obecnie nawet torebka wydaje mi się za ciężka.

Przypominam, żeby nikomu to przypadkiem nie umknęło z pamięci, że uporczywie kłania się meszka. Wysiłki fizyczne szkodzą mi dzięki jej staraniom.

Niejednokrotnie zastanawiałam się, co z tym nabojem mam zrobić, jak to przenieść kawałkami, żeby mi nikt całej reszty nie podwędził, jak wtrynić dwa pierwsze garnki przestraszonej panience, do której z reguły stał niecierpliwy ogonek, wyjaśnić, że to nie wszystko, i lecieć po ciąg dalszy. Wyjaśnić nawet umiałam, ale panienki do takich rzeczy nie były przyzwyczajone, z zasady każdy wygrany zazdrośnie trzymał całe swoje mienie w objęciach, widocznie nikogo z nich meszka jeszcze nigdy dotąd nie pogryzła. Rozglądałam się za młodzieńcami z obsługi, wszyscy zajęci, urwanie głowy mieli, to fakt, automaty do wymiany pieniędzy na żetony opróżniały się w zastraszającym tempie, zacinały się także, obsługa ustawicznie latała z worami i wózkami, ponadto panował wyjątkowy urodzaj na oszołomionych przygłupków, zagubionych w przyciskach, ciągle komuś chłopcy musieli coś tłumaczyć i wyjaśniać. Tylko dwa razy udało mi się zdobyć pomoc i zrealizować w kasie wygraną, we wszystkich pozostałych wypadkach, nie widząc wyjścia, z rozpaczy przegrywałam tę wygraną do imentu.

No i kolacja...

Rzecz oczywista, w trakcie walki z żetonami nie patrzyłam na zegarek. Euforia przy wygrywaniu, zaciętość przy stratach, również liczeniu godzin nie sprzyjają. Kiedy już głód mnie przycisnął, okazywało się, że restauracja jest zamknięta i bij człowieku głową w ścianę. Być może, dzięki temu tak elegancko schudłam...

Ale za to piłam białe wino, w kasynie dawali. O ile udawało mi się opamiętać i zdążyć na ostrygi, również piłam białe wino. Gorzej. Po prawie każdym posiłku robiłam coś, czego nie robiłam nigdy przez całe życie, mianowicie piłam kawę. Espresso.

We Francji...!!! Stara wariatka.

Pijałam kawę, oczywiście, raczej rzadko i w ilościach umiarkowanych, życie spędziłam na herbacie. Jednakże zdarzała się i kawa, i nic złego z tego nie wynikało, przy czym nawet lubię kawę, nie mam do niej żadnych niechęci, tyle że nie stanowi produktu wymarzonego i upragnionego. Odróżniam przy tym dobrą od złej.

Francuskie espresso było znakomite, ale tak naprawdę piłam je wcale nie dla doznań smakowych. Z przyczyn możliwe, że dziwnych. Otóż do każdej filiżaneczki podawali cukierek, coś kruchego w czekoladzie, a takie cukierki bardzo lubiła pani Henia, bez której, jak wiadomo, nie mam życia.

No i twardo zbierałam te cukierki dla pani Heni. Podobno mogłabym je kupić w sklepie, nie wiem, nie wykluczam, ale jakoś nigdzie ich nie widziałam. Nie wpadły mi w oko, pojęcia nie miałam, jak się nazywają, więc nawet spytać nie mogłam i w ogóle mój kontakt z jakimikolwiek

cukierkami zanikł już przed wieloma laty. No więc zbierałam dla pani Heni te od kawy.

Rezultaty były straszliwe. W kwestii wina pan doktór
miał rację, nadmiar białego okazał się szkodliwy nawet mimo zachowania trzeźwości, kawą zdemolowałam sobie doszczętnie przewód pokarmowy, nie wspominając o takich
głupstwach jak serce, krążenie i coś tam obok, bardzo
zmienna pogoda wspomogła destrukcję. Razem wziąwszy,
wyszła z tego strupieszała, zmumifikowana paralityczka po
ekshumacji.

Tylko dotlenianie mi ocalało, acz chyba nieco wybrako-
wane. Wzięło się stąd, że jednak na noc musiałam wracać z kasyna do hotelu. Odległość wynosiła dokładnie sto dwadzieścia metrów, a odległości, zaznaczam z naciskiem, miałam
ściśle poprzeliczane we wszystkie możliwe strony, nie zamierzałam narażać się znienacka na mordercze wysiłki.
Szczerze żałowałam, że nie wychodzę z tego kasyna pijana,
bo wówczas szłabym na czworakach, co z pewnością byłoby łatwiejsze, pozycja pionowa przysparzała mi straszli-
wych udręk. Torebka na ramieniu ważyła co najmniej dwie
tony, usiąść nie było gdzie, każdy energiczniejszy ruch wy-
duszał ze mnie resztki życia, szłam zatem możliwie wolno,
zatrzymując się co parę kroków i symulując podziwianie
pleneru. Plener owszem, nadawał się do podziwiania, tylko
może w innych chwilach, osoba, która z tak szalonym zainteresowaniem i tak wnikliwie ogląda pejzaż w ciemnościach, na dzikim wichrze i w padającym deszczu, musi
mieć upodobania co najmniej osobliwe. O zmienności pogody już napomknęłam. Jedyną pozytywną cechą sytuacji
było to, że ludzi wokół pałętało się bardzo niewielu.

Równo w połowie drogi miałam azyl, mianowicie da-
szek na słupkach w wejściu na teren hotelowego ogrodu,
między słupkami poręcz. Zbawienna podpórka. Wsparta
o cudowny element architektoniczny, podziwiałam widoki

ze zdwojonym zapałem i wchłaniałam w siebie świeże, morskie powietrze, stawiające zdecydowany i niezrozumiały opór. Ale pod daszkiem przynajmniej deszcz mi na głowę nie padał.

Musiałam jednakże iść dalej, przebrnąć tę drugą połowę drogi, na końcu której czekała mnie jeszcze rzecz straszliwa, mianowicie siedem schodków. I na te schodki należało wejść. Łatwo zapewne wyobrazić sobie, jak też na nie wchodziłam, zatrzymywałam się na każdym, odwracałam i twardo wracałam do podziwiania, wspierałam się o poręcz, szukałam w torbie chusteczek i wycierałam nos. W życiu nie nawycierałam się nosa tyle, co na tych cholernych schodkach! Prawie dłużej wchodziłam po nich niż przebywałam całą drogę.

No i raz grzeczność obsługi hotelowej omal mnie o śmierć nie przyprawiła.

Ledwo zbliżyłam się do swojej prywatnej zmory, a deszcz oczywiście padał i wiatr wiał, w drzwiach wejściowych pojawił się młodzieniec z obsługi. Z wersalską usłużnością otworzył ciężkie skrzydło i przytrzymał. Dla mnie, kurza jego twarz!

I jak ja miałam wchodzić na te schody wedle własnych możliwości, jeśli chłopak stał, wychylony na zacinający deszcz i trzymał otworem ów ciężar, zamykany potężną sprężyną? Odpadało podziwianie pleneru i nawet wycieranie nosa, nikt się nie usmarcze po pas na siedmiu schodkach! Honor, patriotyzm, przedmurze, Bóg nam powierzył, szlag jasny niech to trafi, trudno, weszłam jednym ciągiem...!

I jeszcze, żeby to piorun spalił, powiedziałam do niego kilka jakichś grzecznych słów. Pewne jest, że niewiele.

Później zaś miałam jedną myśl: „Usiąść. Na litość boską, usiąść!".

Usiadłam na pierwszym meblu, jaki się do tego nadawał i odmawiałam dosyć dziwną modlitwę. „Panie Boże, nie teraz. Proszę, nie teraz! Panie Boże, zlituj się, ileż to będzie kłopotów dla wszystkich! I straszny wstyd! Nie teraz, kiedy indziej, byle kiedy, tylko błagam, nie teraz!". Znaczy, niech umrę kiedykolwiek, aby nie teraz. Modlitwa została wysłuchana, wyżyłam, do windy dotarłam, oglądając po drodze już tylko jedną gablotę z biżuterią, znaną mi na pamięć. Postanowiłam jednakże stanowczo do schodów podkradać się bokami, pilnie sprawdzając, czy gdzieś tam nie widać kogoś uczynnego.

Wstrętny stan zdrowia trwał kilka miesięcy, aż wreszcie zdecydowałam się zasięgnąć specjalistycznej porady lekarskiej i w ciągu paru tygodni wróciłam do czegoś w rodzaju normy.

Opisuję te wszystkie obrzydlistwa nie tylko dla zyskania zrozumienia wszystkich osób, którym ponarażałam się służbowo i prywatnie, odmawiając stanowczo ludzkich kontaktów, ale też i w tym celu, żeby dogłębnie wyjaśnić przyczyny świństwa, jakie zrobiłam Małgosi francuskiej. Kiedy do mnie przyjechała, byłam akurat w fazie owych siedmiu schodków i przejście z własnego salonu do własnej kuchni stanowiło dla mnie wysiłek nadludzki. Stąd huczne przyjęcie i rozpasany poczęstunek.

Naprawdę odczuwam głęboką skruchę i bardzo mi głupio.

I oczywiście znów muszę się cofnąć, bo zanim postanowiłam zniszczyć sobie zdrowie, jeszcze przed La Baule, w trakcie wspólnych wakacji, Monika wywinęła swój kolejny rekord językowy.

Zacytowałam dzieciom zdanie, pochodzące ze starych milicyjnych notatek służbowych, które przez jakiś czas nawet cieszyło się skromną sławą. Otóż młody funkcjonariusz niższego szczebla chciał w uprzejmej formie wyjaśnić, iż podejrzany w czasie przesłuchania okazywał instytucji lekceważenie, i napisał: „...urągliwie charkał odbytnicą". Co oznaczało, że po prostu, jak by tu... też bym chciała uprzejmie... o, puszczał wiatry! Znaczy, co tu ukrywać, pierdział.

Dzieciom forma bardzo się spodobała i zaraz nazajutrz Monika usiłowała ją sobie przypomnieć.

– Jak on napisał? – spytała znienacka. – Że co on zrobił? Wydalał się z kiszek ordynarnie? Było to w samochodzie. Nie pamiętam, gdzie się znajdowaliśmy, ale Bóg ustrzegł, że nie w Paryżu, w godzinach szczytu. Robert przysięga, że gdyby wokół panował na jezdni jakikolwiek ruch, katastrofę mielibyśmy jak w banku.

Skoro już jestem przy osobliwych wypowiedziach, chciałabym odtworzyć scenę, której, obawiam się, słowa nie oddadzą. Atmosfera potrzebna, wyraz twarzy, dezorientacja w oczach, osłupienie w powietrzu, a wszystko to delikatne, malutkie, migawkowe wręcz, razem tworzące niepowtarzalną całość.

Siedziałyśmy z Zosią we dwie przy stoliku w którymś kolejnym lokalu, może to była elegancka restauracja przy stacji benzynowej, Robert z Moniką, która z reguły trzymała się ojca jak rzep psiego ogona, poszli po napoje... o, właśnie! Skoro samoobsługa, musiało to być coś turystycznego. Siedziałyśmy zatem, rozmawiając na jakiś temat niezmiernie kulturalny, zdaje się, że o filmach.

Tu muszę się przyznać do tajemniczej przypadłości umysłowej, zgoła nieprzyzwoitej, która mi wstyd przynosi i sprawia, że nieswojo się czuję. Otóż przez całe lata nie byłam w stanie przypominać sobie w razie potrzeby nazwiska Leona Niemczyka.

Dlaczego akurat Niemczyka, pojęcia nie mam, bo najmniejszych negatywnych uczuć nigdy do niego nie żywiłam i nie żywię i zawsze uważałam go za doskonałego aktora. I nie jest to skleroza starcza, bo z ręką na sercu zapewniam, że czterdzieści pięć lat temu taka bardzo stara jeszcze nie byłam, nazwisko mi jednakże umykało. Zdarza się, że człowiek czegoś zapomni, nazwy miejscowości, czyjegoś imienia, także nazwiska, plącze mu się po głowie, ma na końcu języka, a z ust wyjść nie chce, litery alfabetu myli, ten taki na S, powiada, okazuje się, że Piotrowski. Leon Niemczyk u mnie stanowił regułę i gdyby jeszcze żył, poleciałabym go przepraszać.

Tuż przed wyjazdem z Warszawy oglądaliśmy film o bracie Leona Niemczyka, który to brat pomagał ludziom wydostawać się z kraju i nielegalnie porzucać cudowny ustrój. Przeprowadzał ich przez granicę, między innymi morzem, po wodzie, nazwisko zaś nosił, rzecz jasna, to samo, Niemczyk.

Na temat któregoś filmu chciałam coś powiedzieć i oczywiście Niemczyk mi umknął. Brat! Posłużyć się bratem!

– Zosiu, no, ten – zniecierpliwiłam się. – Ten, co, przypomnij sobie, tak przeprowadzał ludzi przez wodę. Jak on się nazywał?

– Mojżesz – odparła bez namysłu Zosia, zaskoczona nieco moją niewiedzą.

Bardzo długo po powrocie do stolika Robert i Monika nie mogli zrozumieć, co nam się stało. Żadne wyjaśnienia nie wchodziły w rachubę, obie zapłakane i usmarkane czyniłyśmy wysiłki, owszem, z poszarpanych słów wyskakiwało jednakże tylko Mojżesz i Mojżesz. Skojarzyło im się z Biblią i zdezorientowało do reszty.

Ale od tego momentu nazwiska Niemczyka nie zapomniałam już ani razu.

☆ ☆ ☆

PASKUDZTWA.

Teraz będzie obrzydliwe.

Naprawdę obrzydliwe. Co subtelniejsze osoby nie powinny tego czytać, a już z pewnością nie przy jedzeniu! I może także nie przed snem.

W wyniku łagodnych zim rozszalała się klęska ślimaków, zdaje się, że w całej Europie, a już wokół mojego ogrodu z całą pewnością. Łatwo zgadnąć, że w samym ogrodzie również. Ślimaki stwarzały mi problem od lat. Już na rodzinnej działce na Okęciu miałam z nimi krzyż pański, bo nie jestem w stanie zabijać żywych stworzeń. Z drobnymi wyjątkami, przyznaję, takie na przykład komary nie budzą we mnie uczuć chrześcijańskich, karaluchy, pluskwy i muchy, szczególnie końskie, podobnie, pająka natomiast już nie tknę. Nie wspominając o pszczołach, a nawet osach. Wyrzucić za okno owszem, ale nie zamordować. W czasach pomieszkiwania u Alicji pająki miewałam na sobie wielokrotnie, nie zamordowałam żadnego, wyrzucałam przez okno, bo sypiałam przy otwartym.

No i te cholerne ślimaki dokopywały mi z całej siły. Od rozdeptywania odrzucało mnie eksplozywnie, zbierać mogłam, owszem, ale co dalej? Nie zjem ich przecież, uznałam, że najbardziej humanitarnie będzie wrzucić po prostu do ognia, paliliśmy na stosach heretyków, a w czym ślimak gorszy? Stonka z „Dzikiego białka" się kłania, opisany tam dramat był moim udziałem, miejsce do rozpalenia ognia na owej działce miałam, postanowiłam, że dziś pozbieram, a jutro spalę.

Foliową torbę zapełniłam, zawiązałam bardzo ściśle, przycisnęłam kamieniem, następnego dnia zaś okazała się pusta, co wprawiło mnie w głębokie rozgoryczenie, dostarczając zarazem doświadczenia. Nie ma siły, wylezą zewsząd, lepiej niż węgorze.

Dość długo później nie miałam z nimi do czynienia, aż spadły na mnie obecnie. Istny szał, hosty zeżarte, akantusy, juki, wszelkie liściaste rośliny ozdobne, z tulipanami i jaśminem wnosiłam skorupiaczki do domu. O, nie! W końcu to mój dom i mam prawo decydować, kto w gości przychodzi.

No i zaczęła się polka.

Póki jeszcze ilość ich była jako tako umiarkowana, dopiero zaczynały się rozpleniać, zbierałam i ukradkiem wyrzucałam na ulicę, z rozpaczliwą nadzieją, że coś je przejedzie i nie będę to ja. Po drugiej stronie ciskałam z rozmachem za ogrodzenie, na ugór porośnięty drzewkami, ale nie był to dobry pomysł, z ugoru wracały natychmiast do mnie w tempie dla ślimaka wprost nieprzyzwoitym. Znajome osoby zabierały część w reklamówkach i wyrzucały do małej strugi w pobliżu, gdzie siedzibę miały kaczki, podobno chętnie witające posiłek. Osoby rychło się zbuntowały. Przypomniałam sobie, że Francja hoduje sałatę, muszą mieć jakieś lekarstwo na ślimaki, bo inaczej ani jedna główka by im nie ocalała, no i mieli, kupiłam produkt w Paryżu.

Nie doceniłam siły przyrody, kupiłam za mało. Moja przyjaciółka Grażyna kupiła mi w Niemczech, przywiozła, tyle że dość późno, bo przyjechała do rodziny na Boże Narodzenie. Postanowiłam nie pożałować sobie następnego roku, niestety, widocznie miałam niefart, a ślimaki ślepe szczęście, bo akurat w sklepach dysponowali zaledwie resztkami, czemu trudno się dziwić, skoro klęska ogarnęła całą Europę. W rezultacie przywiozłam zaledwie połowę zaplanowanych zapasów, niefart jednakże pofolgował i trucizna pojawiła się także u nas, ściśle biorąc, trafiłam na nią w OBI. Oczywiście też trzy ostatnie pudełka, ale lepsze trzy niż zero.

Sypie się to w wilgoci, najlepiej po deszczu. Tęsknie i z goryczą wpatrywałam się w radośnie błękitne niebo, które miało w nosie mnie i moje ślimaki, stanowczo odmawiając bodaj jednej kropli. A trucizna działała aż serce rosło, po każdym, rzadkim niestety, posypaniu, wśród roślin poniewierały się setki pustych skorupek, nawet popatrzeć było przyjemnie.

Po czym zrobiło się jeszcze gorzej, klęska zwykła przeistoczyła się w żywiołową, żeby to piorun strzelił.

Nagle pojawiła się w ogrodzie ohyda. Zwykłe ślimaki w skorupkach okazały się przy niej stworzonkami wręcz sympatycznymi, skorupka jak skorupka, można ją wziąć do ręki z miernym obrzydzeniem, nieładna muszelka i tyle, nikt nie musi rozmazywać po sobie jej zawartości, wrzucić do torby i cześć. Ale to coś...?

Odrażające, gołe, czarne gluty... Gdyby miało się wybór, przyjemniej poderżnąć sobie gardło niż dotknąć tego nawet przez rękawiczkę. W jednym mgnieniu oka nalazła ich jakaś potworna ilość, a mówi się, że ślimaki są powolne, cha, cha, już prędzej powolny jest gepard! Rozlazły się nie tylko po całym ogrodzie, ale także po tarasie, i kto wymyślił, że są roślinożerne? Rzeczywiście, a ja jestem primadonna w operze, nie karmię kotów sałatką warzywną, tymczasem te paskudztwa rąbały kocie żarcie aż echo szło, właziły do kocich talerzyków i mościły się tam, koty rezygnowały z jedzenia, cofały się z wyraźną rezerwą, patrząc na uroczego gościa nieufnie, w dodatku przylepiały się gangreny i samo potrząsanie i obtłukiwanie nie wystarczało, jeden plastykowy talerzyk pękł, a ta czarna małpa nadal w nim siedziała.

Potworne. Odruch wymiotny budził się w każdym.

I nawet nie wiem czy trucizna na nie działała. Porządne ślimaki siedzą wśród roślin liściastych, posypanie ziemi na klombach i rabatkach daje pożądany rezultat, to świństwo szalało wszędzie, panoszyło się na całym trawniku, właziło pod nogi, nie wiadomo było, co tu sypać i gdzie, w dodatku trucizny zabrakło. Uciec z domu...?

Zmobilizowałam się potężnie, włożyłam ogrodowe rękawiczki, znalazłam kartonowe pudełko w doskonałym stanie po sześciu butelkach wina, wzięłam długą pęsetę, narzędzie święte, przeznaczone na bursztyn, i skalałam je z bólem serca. Podnoszenie ohydy pęsetą i wrzucanie do pudełka dało się jakoś znieść pod warunkiem intensywnego myślenia o czymkolwiek innym. Intensywnie myślałam,

że mam za mały dom, w którym brakuje mi odpowiednie-
go miejsca na szlifowanie bursztynu, owszem, zajęło mnie
to, ale jakoś nie bardzo podniosło na duchu.

Nadnaturalnie ruchliwe ścierwa natychmiast po wrzuce-
niu do pudła ruszały w drogę ku wolności, trzeba ich było
bezustannie pilnować. Perswazje nie dawały rezultatu, nawet z użyciem słów powszechnie uważanych za obelżywe.
Pozbierałam ile mogłam, zamknęłam ściśle pudełko, dodatkowo zabezpieczyłam je taśmą klejącą i postawiłam za wyj-
ściowymi drzwiami z nadzieją, że jutro ktoś je zabierze.
Doświadczenie jednakże kazało mi wyjrzeć po jakichś
dwóch godzinach. Nie będę się wdawać w szczegóły, bo jeszcze teraz mi
się niedobrze robi. Dość powiedzieć, że forpoczta już roz-
poczynała dziarskie marsze, reszta zaś pchała się za nią.
Z doświadczenia wiedziałam, że przełażą przez wszystko
i dlatego starannie uszczelniłam pudło, ale jakim cudem
przedostały się przez szparę szerokości jednego milimetra,
dosłownie jednego, nie potrafię pojąć. Jednakże było im
chyba dość niewygodnie, bo nie miały pięknych kształtów.
Zrobiło mi się ciemno w oczach. Nie czułam się już na
siłach zbierać je i wpychać z powrotem, odruch wymiotny
wydawał ostrzegawcze okrzyki. W przypływie rozpaczy
pomyślałam o soli, możliwe, że na temat soli coś mi się
przypomniało, myśl była niejasna, ale realizacja nie napo-
tykała trudności, co mi szkodziło spróbować? Złapałam sól
i porządnie posypałam całe towarzystwo.

Szczęście, że nie przyszedł mi wtedy do głowy uczciwy,
czysty spirytus. Zdaje się, że miałam w domu pół litra, do
czego on mi był potrzebny...? Nie pamiętam, albo do jakiejś produkcji spożywczej, marynowane cokolwiek, albo
do zabiegów leczniczych i chyba raczej to drugie, gdyby mi
ten pomysł w owej strasznej chwili zaświtał, z całą pewnością zużyłabym całość. Sól, chwalić Boga, nieco tańsza, no
i było jej więcej.

Okazała się niewiarygodnie skuteczna. Zbuntowana i zbrzydzona, obejrzałam własne dzieło dopiero następnego poranka i zdumiał mnie rezultat. W miejscu czarnych glutów widniały ślady jakby zaschniętej galarety, coś w rodzaju żelatyny, która się komuś wylała i nie została uprzątnięta. W pudle było tego więcej i żelatyna nie zdążyła zaschnąć porządnie, ale w końcu nie musiałam się temu przyglądać długo i w upojeniu.

Natychmiast kupiłyśmy parę kilo soli, bo trzeba z naciskiem zaznaczyć, że główna ślimacza radość spadła na Małgosię, która się brzydzi świństwa jeszcze bardziej niż ja. Małgosia, z dobrego serca i litości dobrowolnie zadeklarowała swoją pomoc w ogródku, już wcześniej rozpoczęła trucicielską działalność, teraz zaś w mgnieniu oka namiętnie pokochała sól.

Poświęciłam pęsetę, pilnując tylko starannego mycia jej po każdym użyciu, co było już może lekką przesadą, bo w końcu ślimaki to nie smoła, ledwo jakiś śladzik na czubku pozostawał, to po pierwsze, a po drugie Małgosia jest nieporównywalnie porządniejsza ode mnie i sama z siebie myje wszystko maniacko.

Niemożliwe, żebym nie zrobiła dygresji. Pcha się natrętnie, musi być.
No i jest.

Dorównują sobie wzajemnie, moja siostrzenica i moja synowa, Małgosia i Zosia. Za którymś z wcześniejszych przyjazdów dzieci z Kanady na święta Bożego Narodzenia nastąpiła w moim domu scena, jak sądzę, raczej rzadko spotykana. Okropna kontrowersja pomiędzy synową a teściową.

Widuję te kanadyjskie dzieci rzadko, góra dwa razy do roku i zawsze nam wtedy brakuje czasu. Nie ma kiedy usiąść spokojnie i pogadać, tematów jest zatrzęsienie, nie da rady pozałatwiać ich wszystkich przez telefon, chociaż koszty nie wchodzą w grę, bo w weekendy i święta oni mają połączenia darmowe. Ale przez telefon to nie to samo co osobiście, czasem trzeba coś sobie pokazać, coś obejrzeć, trudno mówić równocześnie, co w kontakcie bezpośrednim jest w pełni możliwe, i w ogóle dobrze jest widzieć rozmówcę.

Zjedliśmy posiłek. We troje, Moniki jeszcze nie było, przyjechała dwa dni później. Mamy spokojny wieczór na rozmowę!

Niestety, Zosia zaczęła sprzątać ze stołu. Z dwóch powodów. Primo, pchał ją charakter, secundo, uważała, że mamunia dość się narobiła przy żarciu i należy jej oszczędzić wysiłków, więc powinna posprzątać synowa.

Kanadyjska metoda używania zmywarki do naczyń jest przerażająca. Wszystko myje się porządnie w zlewozmywaku, a dopiero potem wtyka do maszynerii. Nie wierzyłam własnym oczom, kiedy tam, w Kanadzie, ujrzałam to pierwszy raz, naczynia spod kranu wychodzą czyściutkie i wypłukane, tylko wysuszyć, na cholerę im ta zmywarka?! Bo co, bo się zapycha? Czym się zapycha?! Zgarnąć możliwie dokładnie wszelkie resztki do śmieci i po krzyku, bezpośrednio po posiłku niczego zaschniętego nie ma, użyte wcześniej zalewa się wodą, co oni wyprawiają?! Robią podwójne zmywanie!

Trwa to oczywiście dziesięć razy dłużej niż normalne zapełnienie ustrojstwa, Zosia zatem ugrzęzła w kuchni. Obydwoje z Robertem usiłowaliśmy nadrabiać zaległości i rozmawiać, ale brakowało nam Zosi, włączona we wszystkie tematy była niezbędna, pogawędka kulała, bo czekaliśmy na nią, z kuchni dobiegał porcelanowy rzęgot, zagłuszający wszelkie okrzyki, moja cierpliwość wybiegała z domu drzwiami i oknami, stanem ducha zaraziłam Roberta.

– Ona tak zawsze – rzekł melancholijnie, acz z lekką irytacją.

Darliśmy się do niej coraz gwałtowniej, Zosia niekiedy odpowiadała „zaraz, zaraz" i rzęgotała nadal. Przenieść się do kuchni, do bani, rzęgot zagłusza. Straciłam resztki opanowania, zależało mi okropnie na tej rozmowie, i to właśnie z udziałem Zosi, jedyna okazja w roku, a my ją marnujemy na kretyńskie zmywanie, do diabła z naczyniami, wyrzucę je w cholerę za okno, jeśli będą przeszkadzać, nie, za okno nie, zdewastują hortensje, do śmietnika...!

Zrobiła się z tego ciężka awantura. Zosia zdenerwowała się okropnie, rzuciła sprzątanie przed końcem, zbuntowana i wściekła wykrzyczała, że co zrobi, to źle, same pretensje słyszy, same krytyki, chciała być dobra i tak się starała, a za to jest sobaczona, próbowałam wyjaśniać, nie twierdzę, że łagodnie, przyczyny własnej irytacji i niecierpliwości, wrzeszcząc, że pół roku czekam na te nędzne parę godzin wspólnego pogadania, ciągle brakuje nam czasu, problemów jest milion, ja tu nie zamierzam poufnie namawiać się z Robertem, tylko jej poglądy właśnie chcę usłyszeć, kretyńska zastawa stołowa nie zgnije do jutra, nic w niej nie śmierdzi, ona tu nie przyjechała zamieniać mojej kuchni w salę operacyjną!

W nerwach popłakałyśmy się obie, Zosia postanowiła natychmiast się wynosić i jechać do swoich braci. Teraz żałuję, że nie spytałam jej wtedy, czy i u nich zamierza zmywać i co na to powiedzą jej bratowe, bądź co bądź normalne kobiety, a nie żadne bałaganiarskie wariatki. Ale byłam rozwścieczona, rozgoryczona, pełna żalu i racjonalne pytania nie przychodziły mi do głowy, z wysiłkiem udało nam się tylko skłonić Zosię do pozostania na miejscu.

Po czym w szybkim tempie wróciła nam przytomność umysłu i po uświadomieniu sobie, o co się kłócimy, obie dostałyśmy ataku śmiechu. Zła synowa upiera się przy porządkowaniu jadalni i kuchni, a podła teściowa zabrania jej sprzątać i zmywać, synowa chce być użyteczna i uczynna, a teściowa żąda od niej nieróbstwa, po prostu coś okropnego, wręcz obustronne świństwo. Zdaje się, że jest to dość rzadka przyczyna domowych awantur. No i Małgosia prezentuje podobne skłonności, tyle że z tą zmywarką po kanadyjsku mniej przesadza. Ale tak samo wszystko do sucha wyciera, podobno, zdaniem Witka, nawet zlewozmywak. Jasne, że mojej pęsety pod grozą śmierci nie zostawiłaby odłogiem i głupio było z mojej strony poświęcić temu tematowi bodaj jedną myśl.

Koniec dygresji, już wracam do obrzydliwości.

Po przejściu na sól, reklamówki z galaretowatą zawartością można było spokojnie wyrzucać do śmieci. Wojna jednakże trwała i falangi dwóch gatunków wpieprzały się za przeproszeniem do mojego ogrodu ze wzmożonym zapałem, nie było dnia, żeby po tarasie i trawniku nie poniewierały się czarne gluty. Wnikliwa obserwacja pozwoliła nam odkryć, że pchają się nachalnie z owego ugoru za moim żywopłotem, porośniętego wierzbami. Najwidoczniej nie smakowały im wierzby, wolały, świńskie ryje, moje hosty i kocie żarcie. Zbieranie tego, nawet pęsetą i w rękawiczkach, dzień w dzień, zaczynało przekraczać ludzką wytrzymałość, a większość tego spadała na Małgosię.

Od dzieci z Kanady przyszła informacja, że podobno czarne obrzydlistwa lubią piwo. Jeśli postawi się w ogrodzie piwo w dostępnym im naczyniu, wszystkie na wyścigi podążają w kierunku ulubionego napoju i upijają się nim albo w nim topią. Ewentualnie może jedno i drugie, topią się po pijanemu, też przyjemnie.

Oderżnięta ze strasznym hałasem połowa dużej butelki po Mazowszance wydała nam się naczyniem odpowiednim. Wykopać dołek, wetknąć ją do tego dołka, żeby prawie nie wystawała, nalać piwa i z zapartym tchem patrzeć, co z tego wyniknie.

Po piwo poleciała Małgosia do osiedlowego sklepu, pięć minut drogi ode mnie, może zresztą pojechała samochodem, nie jestem pewna. W sklepie zwróciła się do ekspedientki:

– Poproszę panią o najgorsze i najtańsze piwo, jakie pani ma.

Ekspedientka popatrzyła jakoś dziwnie, więc Małgosia się zreflektowała.

– Nie, nie, proszę pani – powiedziała pośpiesznie. – To nie dla mnie, to dla ślimaków.

I dopiero wtedy ona na nią SPOJRZAŁA...!

Od razu pobiegnę kawałek do przodu, malutko, bo w grę wchodzą koty, a do nich i tak jeszcze wrócę.

Pucuś był zaziębiony, kasłał i kichał, należało go wyleczyć. Normalnie chorego kota łapie się i niesie do weterynarza, gdzie zazwyczaj dostaje antybiotyk w zastrzyku. Nie u mnie jednakże, Pucuś nie dał się złapać, no trudno, wobec tego musiał dostać antybiotyk doustnie, i to wiele razy, dwa dziennie przez kilka dni. Medykament był wściekle gorzki, zatem w czymś dobrym, co kot chętnie zje, zanim się połapie we wszystkich smakach.

Pucuś uwielbiał słodką śmietanę, wobec czego Małgosia znów poleciała do tego samego sklepu i nabyła bitą śmietanę w spreju. Nie wzięła okularów, z czytaniem drobnego druku miała trudności, spytała zatem sprzedawcę, czy to jest sama śmietana bez żadnych dodatków czekoladowych, kawowych albo owocowych. Sprzedawca rzucił okiem i rzekł:

– Tak, sama śmietana, ale uprzedzam panią, że ona jest słodzona.

– Nic nie szkodzi – odparła wdzięcznie Małgosia. – Kot bardzo lubi słodkie.

No i znów on na nią SPOJRZAŁ...

Wróciła, chichocząc, i powiadomiła mnie, że już ją chyba uważają za wariatkę, jeszcze z jeden taki zakup, a będzie to miała jak w banku.

Piwo dla ślimaków zapoczątkowało opinię, która ma szansę się ugruntować, ale informacja o nim okazała się prawdziwa. Leciały ku napojowi jak z pieprzem, ze wszystkich stron wręcz truchcikiem podążały do knajpy. Stopień upojenia alkoholowego pozostał nam nieznany, bo nikt nie oglądał zbyt pilnie każdej sztuki, zbiegowisko jednakże ułatwiało... No właśnie, co ułatwiało? Zgarnięcie? Przylepne, nie bardzo dawały się zgarniać. No, tyle że główny ścisk w jednym miejscu, a nie rozwłóczony po całym ogrodzie. Połówka butelki, taka mniejsza połówka, większa była zbyt głęboka, powiedzmy prawidłowiej: połówka skąpo urżnięta, owszem, zawierała w sobie motłoch być może pijany, ale jak to wyjąć? Wyciągnąć z ziemi, połapać te, które tłoczyły się dookoła, też czynność wstrętna, i co dalej? Przecedzać...? Potworne, jak Boga kocham. Może się przyśnić.

Na szczęście wszyscy myśleli tak intensywnie, że rezultat nadbiegł szybko. Jasne, do butelki włożyć małą, cieniutką reklamóweczkę z uszami, do reklamóweczki piwko, później zaś chwycić za uszy, wyciągnąć i sypnąć soli. Nareszcie zużyta została sól kamienna, kupiona kiedyś przez pomyłkę w ilości nieco nadmiernej. Te spóźnione moczymordy pozbierać i dorzucić do towarzystwa, to już zaledwie jedna czwarta wstrętnego zajęcia.

Butelki z reklamówkami tkwiły u mnie w ogrodzie w trzech miejscach i przez całe lato zdawały egzamin, nęcąc żywinę. I nawet nie wiem, czy te ślimaki w skorupkach też leciały na piwo, bo w obliczu gołej obrzydliwości prawie przestawały się liczyć, szkodliwe i dziko żarłoczne, ale zdecydowanie mniej odrażające, ponadto możliwe, że nie zdołały się dopchać, mimo skorupek. Trzeźwe czy pijane, nikomu to już nie robiło różnicy, w każdym razie do butelek w pewnym stopniu docierały.

Nad moim ogrodem jął powiewać problem nad wyraz istotny, dręczący i nie do rozwikłania. Mianowicie: KTO żre ten akurat gatunek ślimaków?!

Koty nie dotkną, to pewne, psy tym bardziej, sroki do ust nie wezmą, jeże również, może nie żeby starannie omijały, jeż właściwie nie omija niczego, sam jest starannie omijany, ale tak samo jadłby na przykład guziki. Kaczki...? A otóż te kaczki! Pan Ryszard, który od początku zawoził ślimaki kaczkom żyjącym nad strugą, przyznał się ostatnio, że owszem, wysypywał im zawartość toreb i pudełek, zaznaczam, że jeszcze bez soli, ale procesu konsumcji* ani razu na własne oczy nie widział, głowy zatem nie da. A już miałam nadzieję...! Prosiłam, żeby spróbował jeszcze raz, specjalnie nazbieram czyściutkich, jeśli nawet posolonych, to delikatnie, żeby poczekał dłuższą chwilę i popatrzył, ale uparł się, że nie ma czasu na eksperymenty, bo tak się składa, że pracuje. Nikt inny nie wie dokładnie, gdzie te kaczki żerują, Małgosia próbowała je znaleźć na jeziorkach wilanowskich, jakoś jednakże na drób nie trafiła i straciła cierpliwość. Kto to żre?

Wiem, kto. Dziki. Dziki jak człowiek, żrą wszystko. Trudno jednak, żebym sobie sprowadziła i zagnieździła w ogródku odyńca, ewentualnie ze dwa małe warchlaczki. Co prawda problem upadłby razem ze zniweczonym ogrodem, ale to akurat nie to, o co mi chodzi, a w dodatku nawet przy dzikach nieco się waham, bo podobno te ślimaki są trujące. Z głodu albo z łakomstwa dziki zeżrą i zdechną, jaki z tego pożytek?

Doświadczalnie nie sprawdziłam. Odrzuca mnie. Otruć żywe zwierzątko...?

---

* W kwestii pisowni redakcja odsyła pt. Czytelników do wyjaśnień Autorki zawartych w „Traktacie o odchudzaniu"

Od razu przejdę do kotów, skoro już o nich zaczęłam, a zarazem do jeży, przy czym niech nikt sobie nie wyobraża, że ze ślimakami skończyłam. Zważywszy, iż sroki stanowią inwentarz stały, niedługo zapewne będę mogła konkurować z ogrodem zoologicznym. O bażantach nawet nie wspominam, płochliwe i nienachalne, ale kuna u mnie bywała i możliwe, że bywa nadal, wnioskując z ilości znikającego w nocy pożywienia. Bo szczerze wątpię, czy przez wściekle kolczasty żywopłot zakrada się do mnie ludzki złoczyńca, wylizujący kocie miski.

Co do kotów, w ciągu ostatnich dwóch lat nastąpiła wśród nich pewna zmiana, ustabilizowało się w zasadzie sztuk siedem, dwa czarno-białe, trzy szare i dwa czarne, z tym że z czarnymi różnie bywa i mam wrażenie, że ogólnie jest ich cztery. Rozpoznać się daje tylko Monikę, po wzroście i po ogonie, ona zaś raz jest, a raz jej nie ma. Przepadły gdzieś oba łaciate i Rudzielec, codziennie natomiast z wizytą przychodzi Zorro, w pełni tolerowany. Ze stałych, oswoiły się wszystkie i podając śniadanko, muszę szurać pantoflami po tarasie, ponieważ całe towarzystwo mam na nogach. Każdym normalnym krokiem któregoś przydepnę, rozpycham je, żeby postawić miseczki na ziemi, a nie na ich grzbietach i głowach. Pchają się pod rękę, żądają pogłaskania, mizdrzą się i łaszą, a wyjątki są tylko dwa, Pucuś i Telewizor.

O Telewizorze już pisałam, nazywa się tak dziwnie tylko dlatego, że jako małe kociątko siedział w progu drzwi tarasowych i, wyraźnie zafascynowany, wpatrywał się w ekran telewizora bez względu na obraz, zdaje się, że kiedyś razem z Witkiem oglądał mecz piłki nożnej. Żadna niezwykłość, już dawno temu w Danii, w salonie u Kirsten, na własne oczy widziałam dwa małe kotki, siedzące na fotelu i w wielkim skupieniu wpatrujące się w jakieś filmowe sceny, przy czym Kirsten powiedziała, że one tak zawsze. Znałam kota, który oglądał się w lustrze, wykonując przy tym skoczne ćwiczenia gimnastyczne.

Berta nadal jest najbardziej udomowiona, bywa, że cały dzień śpi w domu na którymś meblu i jeśli już śpi, to śpi porządnie. Jak kamień. Na ogół nie lubi obcych ludzi i licznego towarzystwa, jeśli jednak zapadnie rzetelnie w sen, nie budzi jej nic. Mogą się tu plątać swoi i obcy, głośne rozmowy, telefon dzwoni, hałas, ruch, nie szkodzi, kot śpi i cześć.

No i spała kiedyś na kanapie w salonie, ja zaś oglądałam ciągiem ekranizacje Agaty Christie. Fakt, że mi się wcale nie podobały, nie ma żadnego znaczenia. W „Morderstwie na plebanii" pojawił się kot, którego, nota bene, u Agaty wcale nie ma, ale nie w tym rzecz. W ciemnej scenerii ten kot poruszał się i zaczął miauczeć.

W śpiącą kamiennym snem Bertę jakby piorun strzelił. W mgnieniu oka poderwała głowę, wylazła na oparcie, wpatrzona w ekran wzroku od niego nie oderwała, wyraźnie zaniepokojona i zdenerwowana, i kot już znikł, a ona jeszcze przez długą chwilę wnikliwie i nieufnie badała niezbyt wyraźny obraz. Wreszcie przestała, zapewne film jej też się nie spodobał.

Wracając do wspomnianych wyjątków, żaden z tych dwóch kotów nie pozwala się dotknąć. Telewizor wcale nie nabrał rozumu, jest przecież rodzonym dzieckiem Berty, u mnie ulęgniętym i tu wychowanym, zwierzęta przejmują obyczaje matek i od nich się uczą postępowań, Berta najbardziej udomowiona i przylepna, a jej kochany synek najbardziej dziki, nie do pojęcia. On jednak najczęściej łapie myszy i krety i przynosi mi w prezencie, więc nie będę się czepiać. Pucuś natomiast ma zdrowy instynkt, od dzieciństwa przeczuwa, że przy pierwszej okazji zostanie złapany i uwięziony w jakiejś ludzkiej siedzibie, na wszelki wypadek zatem woli się separować. I głowę daję, że ma rację.

Z tej właśnie przyczyny nie dał się złapać w celach leczniczych. Do domu wszedł, owszem, spał na krześle pod stołem, obie z Małgosią chodziłyśmy na palcach, aż przybył umówiony weterynarz. Pucuś ocknął się natychmiast i schował w kącie za kanapą. Możliwości wyjścia w zasadzie miał dwie, albo w jedną stronę, albo w drugą. Ustawiliśmy się we troje, Małgosia w grubych rękawiczkach, weterynarz z otwartą klatką, ja obok z ażurowym szalem, niejako substytutem sieci rybackiej, wszyscy słodkim głosem wabiący zwierzątko. Pucuś bardzo długo siedział bez ruchu, wszystko wskazuje na to, że myślał, po czym znienacka z tego ciasnego kąta strzelił w górę i wspaniałym, rekordowym skokiem nad naszymi ramionami znalazł się na środku holu. Po czym opuścił dom.

– On się nie da złapać – zaopiniował natychmiast weterynarz, bogaty doświadczeniem, i musieliśmy zrezygnować. Co nie przeszkadza, że przy otwartych drzwiach wszystkie koty włażą mi do domu, rozkładają się wszędzie i bywa, że na moim tapczanie śpi całe kłębowisko. Leży tam nawet już trwale stary obrus w niezwykle ohydnym kolorze, innego na poczekaniu nie znalazłam, bo obecność kotów wcale mi nie przeszkadza, pościel jednakże wolałabym mieć wyłącznie dla siebie.

Żadnych pcheł ani niczego podobnego nie mam, niech sobie nikt głupio nie wyobraża.

Berta niestety już drugi rok jest chora. Paskudzi jej się czubek jednego ucha, nosi to nazwę autodestrukcji i jest nieuleczalne, można najwyżej powstrzymać rozwój choroby i staramy się o to wszelkimi siłami przy pomocy naszego cudownego, wciąż tego samego weterynarza, który na szczęście zna te koty prawie od urodzenia. Od czasu do czasu trzeba jej zrobić zastrzyk i przyjeżdża wtedy do pacjentki, żeby już jej nie stresować wożeniem do niego w klatce, trwale natomiast, co drugi dzień albo seriami codziennie, kocica dostaje medykament doustnie.

I do ostatniego tchu będę się upierać, że ta zołza świetnie rozumie ludzki język. Zazwyczaj jest na miejscu, w domu albo w ogrodzie, pierwsza do żarcia, bo łakoma, ale jeśli rozmawiamy pomiędzy sobą, że weterynarz ma przyjść jutro, kochana kicia ginie. Już wieczorem jej nie widać, a rano nie ma po niej najmniejszego śladu. Trzeba jej pilnować, zwabiać smakołykami późnym popołudniem i trzymać w domu do rana, bo inaczej pojawi się dopiero, jak już wróg sobie pójdzie. Nie dość na tym. Znarowiła się, swoje lekarstwo dostaje w czymś dobrym, surowe mięso posiekane, surowa rybka, rzecz jasna przekąska serwowana oddzielnie, w oddaleniu od innych kotów, żeby jej niepotrzebnie nie zeżarły, zatem w kuchni pod lodówką. I proszę bardzo, o rozmaitych porach doby przyłazi pod lodówkę, mizdrzy się, pomiaukuje cichutko i patrzy z naciskiem pełnym nadziei. Czasem skutecznie.

No tak, ale lekarstwo co drugi dzień. W dni spokojne kot jest, w dni lecznicze kota nie ma. No owszem, jest, ale na samym końcu futrzanego wału, wszystkie mi przyjdą, tylko nie ona. Raz, rozzłoszczona, złapałam ją i wniosłam do domu, ale obraziła się i nie chciała jeść wcale. W rezultacie poranki już kompletnie nie wchodzą w rachubę, dostaje swoje świństwo kiedy popadnie, byle tylko właściwego dnia, zdarza się, że wieczorem. Przy kolejnym antybiotyku, który musiała spożywać przez tydzień dwa razy dziennie, doprowadziła mnie do takiego rozstroju nerwowego, że co najmniej trzy porcje zostały skonsumowane przez inne koty i nawet nie wiem które. Mam nadzieję, że im nie zaszkodziło.

Pucuś, karmiony przez tydzień antybiotykiem w bitej śmietanie znarowił się również z największą łatwością. I tak już ten kot ma zapędy arystokratyczne, nigdy nie gniecie się w tłoku, wzgardliwie czeka na stronie, aż pozostałe zapchają się i pójdą i wówczas dopiero przystępuje do posiłku samotnie i z godnością. Kuracja te cechy wybitnie wspomogła, w ogóle przestał zważać na zbiorowe żywienie, najzwyczajniej w świecie usuwał się na skraj tarasu i czekał na swoje. Raczył nawet rzucać niecierpliwe spojrzenia. Kuracja uległa zakończeniu, nie szkodzi, Pucuś nadal stosuje nabyte zasady i jest wręcz urażony, jeśli nie dostanie bodaj odrobiny czegoś białego, ulegam presji i daję mu biały serek, bo nie zgłupiałam do tego stopnia, żeby codziennie karmić kota bitą śmietaną na słodko.

Przyplątały się jeże.

Dawno minęły czasy, kiedy musiałam dzwonić do Alicji, żeby zajrzała do naukowego dzieła i poinformowała mnie, jak wygląda łajno jeża, obecnie wiem to lepiej niż ktokolwiek inny. Co najmniej sześć sztuk, cała trzypokoleniowa rodzina, traktuje mój dom prawie jak własny.

Ciągle zapominam nabyć jakieś nieszkodliwe farby w niewielkich ilościach, żeby odrobinkę pomalować zwierzątka i zorientować się w ich pogłowiu, bo za te sześć sztuk gwarantować nie mogę. Dwa są wielkie, niewątpliwie tatuś i mamusia, zresztą od tych dwóch się zaczęło już co najmniej cztery lata temu, dwa średnie i dwa małe, ale w kwestii tych małych i średnich pewności żadnej nie posiadam. Jednego rozpoznaję, bo jest trochę kulawy na jedną zadnią nóżkę, pozostałe jednak mogą mi się mylić, przychodzą pojedynczo, parami, z wizytą zbiorową było raz sześć i stąd myśl o sześciu. Żrą jak maszyny.

Możliwe, że jeż jest zwierzęciem w jakimś stopniu roślinożernym, osobiście zaczynam w to powątpiewać. Było jakieś gadanie o jabłkach, podobno jeż nabija sobie jabłko na kolce i niesie zdobycz do domu w celu spożycia, akurat, nie wiem w jakim celu niesie, jeśli istotnie to czyni, że nie dla spożycia, to pewne. Specjalnie dla nich pokroiłam piękne jabłko na małe kawałki, żaden nawet do ust nie wziął, rąbią za to kocie mięsko i kocie chrupki aż ćlamanie, mlaskanie i chrobot u sąsiadów słychać.

No i dobrze, a niechby, czy ja będę zwierzątkom żałować? Sama nie zjem, a one niech się pożywią, dają się tu zauważyć jednakże pewne dość rozpaczliwe mankamenty.

Po pierwsze, dzieje się to z ciężką krzywdą dla kotów. Żaden kot nie tknie jeża, nie tylko kot, żaden rozsądny pies, żadne w ogóle stworzenie, przy nosorożcu się waham, może ewentualnie żółw, pod warunkiem, że niczego nie wystawi spod skorupy. Powściągliwości lwa, tygrysa, nawet niedźwiedzia jestem pewna, zaraz, o...! Może krokodyl...? No, głowy nie dam.

Ponadto przez całe lata żyłam w przekonaniu, że rozmaite zwierzęta wychodzą na posiłek wieczorami i żerują nocą, i do tej grupy stworzeń zaliczają się jeże. Iluż złudzeń człowieka doświadczenie pozbawia...! Owszem, na początku istotnie pojawiały się wieczorem, obecnie mam je przed nosem od rana. Koty również. Bywa, że nawet śniadanka spokojnie zjeść nie mogą, bo już sunie współbiesiadnik, pcha się do miski, do dwóch misek, i nieszczęsne koty z posępną niechęcią i urazą przeczekują niesprawiedliwość, jaka je spotyka. Wręcz nie ma pory dnia, żeby się któryś kolczasty stwór bezprawnie nie pojawił.

Po drugie, jeż idzie jak czołg. Nie interesują go żadne przeszkody, wali przed siebie taranem, liście, kwiaty, gałęzie, nie omija niczego, łamie wszystko. Kot leżał sobie na tarasie, rozwalony w słoneczku, jeż twardo pomaszerował na niego, bo tak mu prosta droga prowadziła, nie zboczył na włos, rzecz jasna, kot się zerwał i odsunął. Oszkalowałam koty, że w żywej zabawie stłamsiły i połamały mi liście imbiru, otóż nic podobnego, nie żadne koty, tylko jeże, trzy osoby ludzkie widziały to na własne oczy. Nawet kolczaste gałązki nie robią na nich wrażenia.

Po trzecie, z przykrością muszę stwierdzić, że jeże paskudzą gdzie popadnie bez żadnego opamiętania i stąd moja wiedza o łajnie. Cały taras o poranku mam upiększony śladami gości, przy czym nawet miska z resztkami pożywienia nie unika swego losu, gorzej, nawet talerz z mlekiem... Nie, zaraz. Nie mam, tylko miałam.

Ze strachu przed panią Henią musiałam jakoś zareagować, pani Henia bowiem nie zaprezentowała pod tym względem żadnej tolerancji. Nie chcąc z grzeczności sobaczyć mnie bezpośrednio, sobaczyła zwierzątka i groziła im najsroższymi karami, co zwierzątka miały gdzieś, ale we mnie budziło głęboką skruchę. Wzięłam się zatem na sposób. Zaczęłam pilnować pierwszej fazy kocich posiłków i jeśli zostały w miseczkach resztki pożywienia, a jeż przyszedł zaledwie jeden, najwyżej dwa, pozwalałam skorzystać, czuwając tylko podejrzliwie nad kolejnością ich poczynań fizjologicznych. Pomocą był mi instynkt i chyba nic innego. Po czym resztkę resztek zabierałam im sprzed nosa i ustawiałam na wyżynach, gdzie koty dostęp miały, a jeże nie. Owszem, pomogło, urok tarasu zdecydowanie na tym skorzystał, bo niedojedzone jeże na deser szły gdzie indziej, ale mnie było przykro. Biedne, rozczarowane zwierzątka...

Czy ja kiedykolwiek upierałam się, że jestem nieskazitelnie normalna...?

Nie zostawiam już wieczorem obfitości potraw na później, w każdym razie nie na ziemi. Koty są nieco zdezorientowane, do czegoś w końcu przywykły, ale jakoś odnajdują swój posiłek na stole albo na klatce deską nakrytej, bo rano wszystko jest wylizane. Wieczorami niekiedy stosuję podstęp, miękkie z puszek w miseczkach staje na ziemi normalnie, chrupki również, ale dodatkową garsteczkę chrupek rozsypuję siewnym gestem na skraju terenu, gdzie jeże pojawiają się w pierwszej kolejności. Chrupki lubią najbardziej, urodzaj pod nogami kusi nieprzeparcie, od razu zaczynają je wyszukiwać, zbierać i zjadać, co trwa dostatecznie długo, żeby koty zdążyły się pożywić po swojej stronie. Oba towarzystwa odseparowane nie przeszkadzają sobie wzajemnie.

Nie koniec na tym, okazało się, że jest jeszcze gorzej, bo po czwarte, jeże zamieszkały w kocim domku.

Zważywszy nikłe rozmiary terenu, jakim dysponuję, kocie domki musiały zmienić usytuowanie i obecnie stoją u mnie jeden na drugim, stanowiąc parter i piętro. Dziwiło mnie trochę ostatnio, że na piętrze jakoś tłoczno, a na parterze żadne futro nie błyska, ale w końcu nie mojej babci papiloty, kocia sprawa. Późną wiosną dopiero rzecz wyszła na jaw i oczywiście uwagę zwróciła Małgosia, uczulona na wszelkie nieporządki i, powiedzmy elegancko, nieczystości.

– Śmierdzi u tych kotów, że przejść nie można – rzekła z oburzeniem. – To jest coś niemożliwego, wszystko obsrane i obsikane aż się niedobrze robi, trzeba to załatwić, wywalamy te brudy i gówno dostaną, a nie żaden domek!

I znów koty zostały niesłusznie obrażone.

Żaden kot nie paskudzi tam, gdzie żre i gdzie sypia, podobnie jak pies, wcale nie koty stworzyły woniejącą atmosferę, tylko właśnie jeże. Spodobał im się ten miły azyl i zagnieździły się w nim od wczesnej jesieni do późnej wiosny, co wykryła pani Henia, kiedy postanowiła wyciągnąć i wyrzucić kawałek poszarpanego kocyka. Kocyk stawił osobliwy opór, drogą macania w ciemnym wnętrzu pani Henia stwierdziła, że siedzi na nim coś wielkiego i dziwnego, co kicha na jej wysiłki. Jeż, oczywiście. Wiosna się ledwo zaczynała, jeż nie miał najmniejszego zamiaru wykazywać aktywności o zbyt wczesnej dla niego porze roku i stanowczo odmówił opuszczenia apartamentu. Żadne szturchania patykiem i szczotką nie pomagały, w rezultacie wyjechał razem z kocykiem, wyciągnięty przemocą i bardzo niezadowolony, po czym oddalił się niechętnie. Wielki był i ciężki jak kloc.

Na własne oczy widziałam, jak jeden z tych mniejszych zaraz po skonsumowaniu posiłku podążył do kociego domku i wlazł do środka. Mogłam go złapać i nie wpuścić, ale primo, do łapania gołymi rękami jakoś nie miałam serca, a secundo co? Zostać tak z nim i trzymać, aż wymyśli sobie inną rozrywkę, względnie zapragnie deseru, którego u mnie nie dostał? Zgromić słownie? Zagrozić sprowadzeniem grupy antyterrorystycznej...?

Kocie domki zostały oczyszczone dokładnie, wyszorowane, wydezynfekowane i wyposażone na nowo, parterowy zaś, z kolistym wejściem, dodatkowo zabezpieczony przybitą na dole deseczką. Przez tę cienką deseczkę jeż nie ma prawa przeleźć, dla kota natomiast nie stanowi ona żadnej przeszkody. Z lekkim niepokojem przyglądamy się obie z Małgosią, czy przypadkiem deseczka nie powinna być szersza, te najmłodsze z dzikich lokatorów już próbowały ją obwąchiwać, prób sforsowania nie czyniąc, nie wiem jednak na razie, jak będzie ze starszymi i większymi. W razie czego podwyższę wszystko, stawiając całość na płaskich klockach.

Dla uniknięcia jakichkolwiek wątpliwości, raz a dobrze, chcę wyjaśnić jedną kwestię. Mianowicie przy pracach fizycznych, szczególnie wymagających wysiłku, podział zajęć u mnie wygląda tak, że osoba towarzysząca odwala robotę, a ja jej patrzę na ręce. Tym sposobem, wspólnymi siłami, posadziliśmy z panem Ryszardem mnóstwo roślin, z Małgosią zrobiłyśmy porządek w książkach, w fotografiach i w ogóle Bóg wie gdzie, z Witkiem wielokrotnie przywieźliśmy ciężkie zakupy i nie będę już dalej wyliczać, bo coś mi się w tym zaczyna nie podobać. Ciekawe, co.

Mam nieodparte wrażenie, że ja...

Własnoręcznie, samodzielnie i bez niczyjej pomocy udało mi się tylko zgubić jedną lupę, znaleźć drugą, znaleźć zaginione okulary i łańcuszek do nich, pokłuć się o róże i podrapać pigwą, oraz wymieszać kilka sałatek, w pełni jadalnych.

Zastanawiam się, jakim sposobem dałoby się wytresować jeże.

Oswoić proszę bardzo, bez najmniejszego trudu. Na samym początku, kiedy wychodziłam na taras, każdy jeż natychmiast przerywał konsumpcję i pośpiesznym truchcikiem uciekał. Po pewnym czasie z ucieczki rezygnował i tylko zwijał się w kolczastą kulę, nieruchomiejąc na kamień.

– Głupi jesteś – mówiłam z wyrzutem i bez wątpienia lekkomyślnie. – Żryj, ja ci przecież nie żałuję.

Chyba naprawdę wszystkie te stworzenia ludzki język rozumieją, bo rok nie minął, kiedy jeże, od najmłodszych do najstarszych, porzucały myśl o kolczastej kuli i tylko powstrzymywały się na chwilę od wchłaniania pokarmu. Obecnie mają mnie dokładnie w nosie i mogę sobie na tarasie tańczyć krakowiaka, a one spokojnie pożywiają się dalej.

Skusiło mnie, jednego pogłaskałam. Tak sobie, z ciekawości, jak też prezentuje się ta jego strona zewnętrzna. Pamiętam doskonale opowieści o jeżu, który hodował się w rodzinnym domu jeszcze przed moim urodzeniem, latał po nocach bardzo tupiąc, więc nazywał się Tuptuś, i z pewnością wielokrotnie brany był na ręce, ale nigdy nie dowiedziałam się, jak też wyglądała kwestia jego poczynań, powiedzmy elegancko, toaletowych. Że moja babcia w tej dziedzinie żadnych niestosowności by nie zniosła, rzecz jest pewna, zatem co? Zaniedbałam sprawę, zbyt mało wiedziałam o jeżach i zlekceważyłam wnikliwe pytania.

No ale teraz pogłaskałam jednego z tych średnich. Zajęty posiłkiem, nie zwrócił na to najmniejszej uwagi, mną zaś wstrząsnęło. Gładko mu te igły leżały, kichał na jakieś tam stroszenie i kłucie, wręcz płaszczyzna, ale z czego! Żelazo... jakie tam żelazo, stal kuloodporna w postaci kolców, nie do uwierzenia. Trzeba rzeczywiście własną ręką spróbować, żeby pojąć siłę straszliwej broni i w pełni zrozumieć ostrożność wszystkich zwierzątek o skórze poniżej pancerza czołgowego.

Oswojenie doszło do tego, że dwa kolejno usiłowały wepchnąć mi się do domu, ale na to już, nauczona efektami praktycznymi, nie pozwoliłam. No i fajnie, a co z tresurą? Jak mam je przyuczyć, że mój taras to nie publiczny wychodek?

Rozgoryczenie przeze mnie przemawia, ponownie bowiem objawiło się paskudztwo w postaci opisywanych wyżej ślimaków i starając się oczyścić wieczorem taras z nielicznej jeszcze awangardy, złapałam szczypcami chirurgicznymi łajno jeża, kształtem nader podobne, tyle że mniej ruchliwe. Jeśli ktoś nie wie, komunikuję, iż wspomniane łajno przypomina fasonem czarne wrzecionko. Niezadowolenie z pomyłki wzmógł dodatkowy element, prawdziwe ślimaki bowiem też były, dwa wprawdzie tylko, ale i te dwa wymagały ulokowania w soli. Torba z solą i sukcesywnie zbieranym inwentarzem leżała na stole porządnie zawiązana, żeby coś do niej dołożyć, musiałam ją rozwiązać i rozchylić, co wydaje się czynem dość naturalnym i bezproblemowym, uczyniłam to zatem.

Różnych skutków działania mogłabym się w ostateczności spodziewać, ale nie czegoś takiego.

Wstrząsający smród z tej zwyczajnej reklamówki runął pod niebiosy i przebił wszystko, co kiedykolwiek w życiu wąchałam, także wonie, jakie osobiście produkowałam we własnym ogrodzie. Zdenerwowały się chyba nie tylko moje koty, ale nawet psy sąsiadów, owe dwa ślimaki wrzuciłam do środka, bo otępienie aromatem odebrało mi na chwilę możliwość oceny zachowań racjonalnych, po czym przyrodzone właściwości fizyczne wróciły bardzo gwałtownie, zacisnęłam cholerną torbę, zawinęłam ciasno, chwyciłam dodatkową, okręciłam co najmniej tak, jakby w środku szalał psychopata w amoku z rzeźnickim nożem w ręku, dołożyłam jeszcze jedną, popędziłam z tym do śmietnika. Dom otworzyłam na przestrzał, runęłam do łazienki zmywać z siebie woń, mydło wypsnęło mi się z ręki, użyłam wszystkich pachnideł, jakie mi się napatoczyły, z leczniczym dziegciowym szamponem włącznie, tego akurat

szamponu oczywiście przez pomyłkę i z rozpędu, pożądane
efekty chyba uzyskałam, bo trzeba trafu, zaraz potem miałam umówioną wizytę mojego stałego lekarza domowego.
— Przepraszam bardzo, panie doktorze, czy ja śmierdzę?
— spytałam z niepokojem już od progu.
Doktór się zawahał. Zważywszy, iż głównymi składni-
kami moich zabiegów były jednak mydło toaletowe, Dior
i Guerlain, trudno mu było zapewne ocenić trafność określenia, ale po krótkim namyśle odparł, że nie. Raczej chyba nie.
Zanim zdążył zastanowić się, na jaki nowy rodzaj choroby nagle zapadłam, czym prędzej wyjaśniłam przyczyny
pytania. Uspokojony, zapewnił mnie, że wszystko w porządku, jeśli nawet jakieś ślady odoru gdzieś się plączą,
perfumeria na mnie stanowczo z nimi wygrywa.
Zdaje się, że było trochę wiatru. Przyroda okazała się
dla mnie łaskawa.

Widzę, że szczegóły perypetii ogrodniczych zdecydowanie zaniedbałam, a właśnie przypomniały mi o nich nie-
dawne urozmaicone zapachy. Dziwię się trochę, że żaden
z sąsiadów jeszcze nie usiłował mnie otruć, ale to może
z litości, albo, jak normalni ludzie, po prostu boją się wariatów.
Od początku musiałam użyźnić ziemię w ogrodzie, bo
w straszliwym pośpiechu przeprowadzki nie dokonałam
czynności podstawowej, mianowicie wywiezienia wierzch-
niej warstwy ubitej gliny i zastąpienia jej odpowiednią
warstwą przyzwoitej ziemi ogrodniczej. Znam rozmaite
sposoby zmiany ziemi jałowej na urodzajną, niestety, nie
wzięłam pod uwagę, że tego rodzaju operacja trwa tak długo, że mogłabym ją nadzorować wyłącznie z tamtego świata. Dwadzieścia lat, to dolna granica, chyba ogłuszył mnie
przesadny optymizm.
Optymizm jest to jednakże cecha twórcza.

Istnieje sposób, ze znakomitym skutkiem zastosowany przez Alicję, tyle że ona zaczęła trzydzieści pięć lat wcześniej i ze swojej ziemi w ogrodzie zrobiła czarne masło. Rozpoczęłam tę produkcję już na działce rodzinnej na Okęciu, niewątpliwie opisałam to we właściwym miejscu, później zaś, w posiadłości aktualnej, pan Ryszard, bardzo zainteresowany moimi szatańskimi pomysłami, zrobił mi drewniany zasobnik, od razu przeze mnie użyty. Do licha, nie pamiętam, skąd pochodzi przedwojenny kocioł do gotowania bielizny i mam obawy, że ofiarodawca, o ile kocioł nie stanowił mojej rodzinnej własności, teraz się na mnie obrazi. Kimkolwiek był, jestem mu dozgonnie wdzięczna.

Powtórzę.

W kotle mają się znaleźć pół na pół pokrzywy i skrzypy, do tego garść rumianku, pełno, porządnie upchane. Zalać wodą, przykryć pokrywą i zostawić co najmniej na sześć tygodni, a jeszcze lepiej na trzy miesiące. Następnie wlać zmacerowaną całość do zasobnika z ziemią ogrodniczą, wymieszać i znów zostawić na im dłużej, tym lepiej, trzy miesiące to minimum, osobiście rekomenduję pół roku. Ponownie wymieszane z większą ilością ziemi rozsypywać wszędzie po ogrodzie, pod roślinami i w ogóle gdzie popadnie, taką warstwą, na jaką wystarczy.

Po kawałku, po kawałku, warstwa grubieje i wreszcie robi się z tego pół metra upragnionego czarnego masła, a odżywcze składniki zgodnie z grawitacją spływają w dół i odżywiają roślinki. Rezultaty widziałam u Alicji, a teraz zaczynam widzieć u siebie.

Co nie przeszkadza, że z niecierpliwości, a także przez zwyczajny rozum, nie spodziewając się osiągnięcia wieku biblijnych proroków, poczyniłam starania dodatkowe, może i rzeczywiście niedokładnie przemyślane.

Początek stanowił suchy krowiak w workach. Produkt znam od dzieciństwa i nawet w pewnym stopniu potrafię ocenić jego jakość. W elegantszej nieco formie stanowi proste i od wieków znane podkarmienie ziemi uprawnej gnojem spod krów i koni, co wykonuje się w określony sposób, oglądany przeze mnie tysiąc razy. No, przesadzam, ale ze dwadzieścia co najmniej.

Musiałam mieć zatem chwilowe zaćmienie umysłu.

Oczywiście znów pan Ryszard, bo na niego z reguły pada najgorsze, chętnie posłużył mi pomocą, a kupiłam wtedy razem ten krowiak i ziemię ogrodniczą, metodą wyżej opisaną rozsypaliśmy większość po całym ogrodzie, z tym, że najpierw grubszą warstwę ziemi, potem cieńszą warstwę sproszkowanego nawozu, a potem zrobiło się ciemno i do widzenia.

Następnie w nocy całkiem porządnie popadał deszcz. W dzień już nie padał.

O dość wczesnej porze okrzykiem zza żywopłotu, jeszcze wtedy niskiego, wezwał mnie sąsiad. Musiała to być sobota albo niedziela, bo w dni powszednie przyzwoici ludzie pracują.

– Czy u pani, bardzo przepraszam, jakieś zwierzę przypadkiem nie zdechło? – spytał z troską. – Bo tak jakoś coś śmierdzi...

Lekki wiaterek powiewał ku niemu. Uspokoiłam go natychmiast.

– Nie, to gnój. Krowi. Zdrowa woń, przez ten deszcz się rozniosła, bardzo przepraszam. Dziś zasypiemy.

– A, to w porządku...

Oczywiście, że owa mierzwa powinna być zaorana, zbronowana, w każdym razie przykryta ziemią, bo inaczej śmierdzi szatańsko, co daje się niekiedy odczuć w czasie jazdy szosami wśród pól uprawnych w całym kraju, i o czym doskonale wiedziałam. Gdyby nie było deszczu, wszystko by się zdążyło załatwić, ale skąd obydwoje z panem Ryszardem mieliśmy wiedzieć, że popada? Nic na to nie wskazywało i zdaje się, że jeszcze po drodze przeleciał suchy piątek.

Krowiak został przysypany i od tej chwili pozostały mu już tylko zalety. Następnie przyrządziłam w kotle mój prywatny kompost, do którego krowiego łajna nie dokładałam, bo po rodzinnej działce znałam efekty zapachowe. Ale i tak bardzo prosiłam pana Ryszarda, żeby wyczyhał na chwilę, kiedy ktoś z jego pracowników będzie miał silny katar i żeby go wtedy przysłał do mnie dla wylania i wymieszania skarbu. Pan Ryszard ludzi miał zdrowych, na ich katar nie czekał, dwóch przyleciało i dopiero po rozpoczęciu pracy pojęli, co ich czeka.

– O rany boskie – powiedzieli, ale wylali i wymieszali.

Zasobnik akurat znajduje się po drugiej stronie, obok śmietnika, wobec czego sąsiad z tej drugiej strony bardzo grzecznie mnie spytał, skąd ten niezwykły aromat i czy będzie trwały. Też zdołałam go uspokoić, a zarazem nawet nieco zainteresować sposobami użyźniania gruntów.

Ziemię kupowałam od ludności wiejskiej, która ją rozwoziła, i przeważnie ta ziemia była dobra, więc, pełna wiary i zaufania, przestałam sprawdzać co mi przywieźli, szczególnie, że sama nie miałam pewności, co mi potrzebne i czy, na przykład, odrobina kwaśności przypadkiem się nie przyda. Zielska mi były niezbędne, tymczasem na samym początku szalały u mnie wysoce użyteczne skrzypy, a za to nie miałam ani jednej pokrzywy i od wizytujących mnie gości domagałam się bukietów nietypowego kwiecia. Pan Tadeusz w rozpędzie przywiózł mi kiedyś bez mała pół wagonu pokrzyw, bo dookoła niego rosły w obfitości, i wystarczyły mi nawet na dokładne wytrucie mszyc. Zmiana struktury gleby spowodowała, na przykład, że w celu zdobycia rumianku, którego wcześniej miałam pełny ogród, teraz musiałam jechać do fryzjera. Tam, po drodze, rósł, u mnie nie było na lekarstwo.

No i rychło wyszło na jaw, że moja wiara i ufność nie zdały egzaminu. Kolejna ziemia, w pierwszej kolejności

sypnięta do zasobnika, wydała z siebie przerażający smród.
Czym prędzej sprawdziłam worki i serdecznie pożałowałam, że nie posiadam danych personalnych dostawcy, bo nie wiem, kogo powinnam zabić, a co najmniej uszkodzić.
Nie dość, że niedojrzały kompost, co najmniej roku leżakowania jeszcze mu brakowało, to jeszcze kwaśny jak piorun, ze świństw robiony, producent wrzucał obierki z jabłek i kartofli, świński gnój, liście bez wątpienia z wierzby i brzozy, w ogóle liście, których do kompostu dodawać nie wolno, a już wierzba najgorsza. W celu spaskudzenia niezła także brzoza, olcha i w ogóle wszelka zgnilizna, oraz niestosowne resztki spożywcze. Łaska boska jeszcze, że do zasobnika więcej niż jeden worek nie poszedł, pośmierdziało i przestało.

No, ale padło znów na tego samego sąsiada od strony śmietnika, i trochę musiałyśmy się obie z Małgosią wysilić, żeby go uspokoić. Nie, nie, to nie na zawsze, pozbędziemy się tego najdalej w ciągu tygodnia.

Co też istotnie nastąpiło i możliwe, że z jakąś korzyścią. Podejrzewam, że za własne dwieście złotych wzmocniłam gdzieś wał przeciwpowodziowy.

Od owego woniejącego momentu nabywam już ziemię wyłącznie w porządnym sklepie ogrodniczym, ale i tak dostrzegam tu niesprawiedliwość. Na jednego sąsiada padło dwa razy, a na drugiego tylko raz. Może należałoby to jakoś wyrównać...?

A ciekawe, swoją drogą, że oni nie śmierdzieli ani razu...

Co do jeży, lęgną się we mnie drobne obawy. Te najmniejsze dwie sztuki, które wszak powinny były urosnąć, teraz jakby zmalały, a do tego przyplątał się trzeci jeszcze mniejszy, taki całkiem malutki. Czy ja przypadkiem nie mam tu już całego tuzina i to w czterech rozmiarach...?

☆ ☆ ☆

Okropności nastąpiły kolejne, ciągnące się jak guma do żucia, w dodatku podobnego autoramentu, za to w różnych miejscach.

Zaczęła oczywiście Teresa, która najpierw obraziła się na mnie, ponieważ odmówiłam zajęcia posady jej damy do towarzystwa, a potem zaczęła zapadać na zdrowiu. Nie eksponowałam tematu dotychczas i unikałam podawania szczegółów, bo po pierwsze, bałam się, że ona to przeczyta, a po drugie, byłam zdania, że ujawniony tym sposobem mój uroczy charakter źle o mnie świadczy. Teraz już przeczytanie nie wchodzi w rachubę, a co do charakteru... A, czort bierz, nosem mi już wyszły starania, żeby być taka dobra, taka szlachetna, taka uczynna, taka odpowiedzialna i obowiązkowa. A przynajmniej udawać, że jestem, szczególnie, że symulacja nie najlepiej mi wychodziła, a jeśli już ktoś jeden na niej skorzystał, nie ma obawy, ktoś drugi to na sobie niewinnie odcierpiał.

Ponadto wychodzi z tego morał grzmiący i cenna nauka dla wszystkich, usiłujących rozsądnie uczyć się na cudzych błędach. Mianowicie najrozumniejszym czynem mojego życia było nie pójść na medycynę.

Jako pielęgniarka, bezwzględnie zajmuję zaszczytne ostatnie miejsce na świecie.

Jako dama do towarzystwa zdecydowanie też, a do tego znów w dużym odstępie za najbardziej beznadziejnym maruderem. Prawie jak hinduska ekipa na jednym z Wyścigów Pokoju, która osiągnęła metę w dwadzieścia siedem godzin po ostatnim zawodniku. Było tak, z pewnością ktoś jeszcze pamięta.

Teresa po powrocie z Kanady i pogrzebie mojej matki, także po licznych wysiłkach, o których już napomykałam, zamieszkała wreszcie na Ursynowie w lokalu, który z dobrego serca, bo do dobrego serca, acz z niechęcią, to jednak się przyznaję, przystosowałam do jej potrzeb. Trzy pokoje z kuchnią.

Dwa z tych trzech pokoi świetnie mogły służyć jako komórki dla mało ruchliwych królików, dla osoby ze skłonnością do klaustrofobii równie świetnie jako droga do rychlejszego zakończenia męczącej egzystencji na tym padole. Zdecydowałam się wywalić ścianę pomiędzy króliczymi komórkami i zrobić z trzech pokoi dwa normalne dla istot ludzkich. Jak zwykle, spadł na mnie ślepy fart.

Było to budownictwo wielkopłytowe, które znałam doskonale, co można łatwo wywnioskować z utworu „Dzikie białko". Ścianki działowe pomiędzy pomieszczeniami, NIE konstrukcyjne, powinny mieć grubości dziesięć centymetrów i być bardzo łatwe do przeprowadzania ewentualnych zmian. Niestety, tu okazało się, że popełniono pomyłkę w trakcie budowy, elementy zasadnicze zestawiono odwrotnie i pomieszano nieco ścianki działowe ze ścianami konstrukcyjnymi. W rezultacie zmieniono układ pomieszczeń, kuchnia znalazła się na końcu, aczkolwiek powinna znajdować się na początku i niech już nie muszę wdawać się w detale budowlane, ale ścianka pomiędzy owymi pomieszczeniami dla królików okazała się konstrukcyjna, rzetelny, zbrojony beton grubości dwadzieścia albo dwadzieścia pięć centymetrów, o pięć centymetrów nie będę się kłócić. Dwadzieścia też by wystarczyło. Chociaż dwadzieścia pięć wydaje mi się bardziej prawdopodobne, bo powinna mieć w sobie miejsce na przewody wodociągowo-kanalizacyjne i wentylacyjne.

Zaangażowana ekipa budowlana ruszyła pełną parą zanim się prawda wykryła.

Efekt był przerażający.

Grzmot poszedł po całej dzielnicy. Cement producenci dali uczciwy, rozmaitych narzędzi do rozwalania użyto, wiertarki udarowe, młoty kamieniarskie, świdry pneumatyczne, rozmaite mesle i co popadło, do ekipy stałej doangażowano Ruskich, okazali się lepsi, człowiek krajowy wytrzymywał trzy minuty, człowiek ruski dociągał do dziesięciu, współlokatorzy dostali czegoś w rodzaju szału, z Megasamu po drugiej stronie ulicy zgłaszano protesty, ściągnięto policję. Zrezygnowałam z wykucia całości, wyszło coś w rodzaju pięknej arkady, łuk triumfalny zgoła, ale rezultat pożądany dało. Zamiast klaustrofobicznych komórek, dwa pomieszczenia połączone prawie w jedno, z widokiem na sąsiednie okno, stworzyło wrażenie przestrzeni i nie tylko można to było przetrzymać, ale nawet na pierwszy rzut oka sprawiało przyjemność.

Pojęcia nie mam, czy Teresa to doceniła. Zdaje się, że nie, bo nie miała pojęcia, jak wyglądało przedtem. Społeczeństwo nie zapłonęło nienawiścią do mnie, nikt bowiem nie wiedział, że to właśnie ja jestem przyczyną koszmaru akustycznego.

Po czym z całej siły starałam się możliwie szybko przystosować ją do nowej rzeczywistości.

Do usług przedmiotu użytkowego Teresa była przyzwyczajona prawie od chwili mojego urodzenia. Wizyty po rodzinie, wigilie spędzane u krewnych, od lat nie oglądanych, wizyty na cmentarzu i tym podobne, wyjazdy z gatunku wypoczynkowych... No fajnie, ale ja uporczywie byłam człowiekiem pracy i złośliwie nie robiłam się z roku na rok młodsza.

Nienawidzę wizyt na cmentarzach. Jest to akurat miejsce, gdzie z całą pewnością spędzę wiele lat po śmierci i wcale nie mam ochoty bywać za życia. W dodatku obecny sposób czczenia pogrzebów jest całkowicie sprzeczny z moimi poglądami i możliwościami i dokopał mi tak, że odmawiam zgody na więcej. Nie wiem, też jakiś niefart, czy co?

Już na pogrzebie własnej matki miałam wściekłe problemy. Groby rodzinne znajdują się na Powązkach i na

Bródnie, Powązki są mniejsze, do grobu mojego ojca i innych przodków mam pięć minut drogi, grób na Bródnie znajduje się dokładnie w środku cmentarza i z każdej strony jest do niego dwa kilometry jak w pysk dał. Specjalnie sprawdzałam...

O, dygresja! Temat jest dość okropny, więc nawet dobrze mu zrobi drobny przerywnik.

Druga kolejna z moich synowych robiła kurs kwiaciarski. Pochwalałam, bo była do tych rzeczy znakomita, miałam nawet nadzieję, że otworzy później własną kwiaciarnię, dekoracje kwiatowe w szerszym zakresie, pójdzie wręcz w Europę, pełnię możliwości miała przed sobą. Egzamin po kursie polegał na tym, że należało wyprodukować wieniec z trzystu goździków i odpowiedniej ilości podkładu, choiny, gałęzi i nie wiem czego tam jeszcze, może drutu. Grupa dostała piątkę i wieniec.

Wyłącznie moja synowa dysponowała samochodem z bagażnikiem odpowiednich rozmiarów, na nią zatem padł obowiązek zabrania arcydzieła. Usiłowała nakłonić rozmaitych znajomych i przyjaciół do udekorowania domu cmentarnym kwieciem, ale jakoś nikt nie chciał i w końcu z rozpaczy zadzwoniła do mnie. Wymyśliłam natychmiast, że grób rodzinny czeka i można tam zawieźć dekorację.

Co zostało natychmiast wykonane. I wszystko byłoby fajnie, gdyby nie drobnostka, mianowicie zapomniałam tak adresu grobu, jak i jego dokładnej lokalizacji. Z upiornym ciężarem latałyśmy po cmentarzu, nijak nie mogąc się tego pozbyć, aż wreszcie zostawiłam ją razem z wieńcem byle gdzie i udałam się do administracji z pytaniem o ów zapomniany adres, pomyliwszy przy okazji datę śmierci mojego dziadka. Ale znaleźli, okazało się, że latałyśmy z uporem dookoła grobu, twardo omijając go wzrokiem.

Wieniec wystawał daleko poza płytę nagrobną i trudno się dziwić, że wydawał nam się trochę ciężki. Moja babcia z pewnością była zadowolona, bo lubiła kwiaty.

Tam właśnie miałam podążyć za trumną mojej matki. Ksiądz jechał na meleksie i pruł przed siebie jak szatan, a ja znajdowałam się w pełnym rozkwicie rwy kulszowej.

Uczepiona ramienia mojego syna wypowiadałam rozmaite słowa chyba mało religijne i nie było siły, ksiądz, zapewne wściekły, bo kolejka nieboszczyków już do niego stała, musiał czekać na orszak pogrzebowy ze mną na czele. Dwa następne pogrzeby, dwojga moich przyjaciół, porzuciłam w połowie, bo dla odmiany natrafiły na moją arytmię. Zniechęciłam się do miejsca ostatecznie. No i apogeum usług dla Teresy nastąpiło właśnie w związku z cmentarzem. Była niedziela w połowie października, pogoda cudownie piękna, siedziałam przy komputerze i pracowało mi się wprost znakomicie, natchnienie szalało pod sufitem, prawie za nim nie nadążałam. Na to zadzwoniła Teresa z delikatną propozycją, żeby skorzystać i pojechać na cmentarz, bo później, za dwa tygodnie, pierwszego listopada, będzie tłok, a teraz warto uporządkować grób i przygotować co trzeba.

Zaprotestowałam kategorycznie. Mowy nie ma, jestem w środku roboty, samo mi leci, na krok się z domu nie ruszę! Teresa, już odrobinę wytresowana, bo wcześniej nie zgłaszała delikatnych propozycji, tylko wydawała rozkazy, położyła uszy po sobie i nie upierała się zbytnio.

Tekst zaczął mi kuleć.

Może wtrąciła się rodzina z tamtego świata, a może obrażone natchnienie postanowiło wypiąć się na mnie częścią tylną, w każdym razie po krótkich i szybko rosnących wysiłkach zrezygnowałam z pracy, widać już było, że niewiele osiągnę. Zadzwoniłam do Teresy, ze szczytową niechęcią powiedziałam, że dobrze, jedziemy.

Pojechałam po nią na Ursynów, po czym zjechałam na Wisłostradę i ruszyłam na Bródno.

Nie chciałam. Cały organizm skamieniał mi w proteście i buncie. Pogoda naprawdę była cudownie piękna, słoneczko świeciło, miasto puste, no i co z tego? Nie było mostów przez Wisłę. No nie było, nie istniał ani jeden. Jechałam i jechałam, mosty nawet dawały się zauważyć, dla mnie niedostępne. Praga równie osiągalna jak, na przykład, San Francisco.

– Teresa, jak dojedziemy do Elbląga, to ja zawrócę i wtedy może jakiś most się znajdzie – powiedziałam beznadziejnie.

Do Elbląga nie dojechałam, ale Łomianki już chyba widniały przede mną. Zawróciłam i rzeczywiście, znalazłam wreszcie most Syreny, to znaczy Jaruzelskiego, to znaczy zdaje się, że Świętokrzyski, bo chyba w końcu tak się nazywa, chociaż dla mnie prywatnie pozostał na zawsze mostem Syreny. Wyjątkowo trafiłam na Bródno, a nie na Żerań, do czego miewam duże skłonności.

Dojechałam do właściwej bramy.

Teresa nawet nie wysiadła, bo zawsze bała się tłoku, a okazało się, że całe miasto z okolicami wpadło na dokładnie ten sam pomysł co ona. O czymś takim jak parkowanie nie warto było nawet pamiętać, dziesięć minut czekałam w zbitym korku, żeby ruszyć dalej. Ruszyłam, po kawałeczku wyplątałam się z potężnej glątwy, rozpoczęłam drogę powrotną do domu.

No i cześć pieśni, drogi do domu też nie było. Objeżdżałam teren dookoła, w żaden sposób nie mogąc oderwać się od cmentarnego muru, Bródno i Bródno, nic innego na świecie nie istniało. Pomyślałam, że zostanę tam już na zawsze i prawie wpadłam w rozpacz, aż wreszcie jakoś mi się udało.

Po czym znów nie było mostów przez Wisłę.

Most Gdański był chyba w remoncie, w każdym razie niedostępny. Jabłonna mi zaświtała, Lublin, Góra Kalwaria, w końcu niepojętym sposobem znalazłam się na Trasie Toruńskiej, jak to się stało, do dziś nie mam pojęcia. Postanowiłam przejechać bez względu na wszystko i trzymać się rzeki pazurami i zębami, z cichą nadzieją, że nie ujrzę nagle przed sobą Pierrefitte, jak we Francji. Nie ujrzałam, dowiozłam Teresę do domu po godzinie miłej wycieczki.

Tak właśnie wygląda sytuacja, jeśli wbrew sobie, nie chcąc strasznie i tylko z dobrego serca albo poczucia obowiązku, zrobię coś, przeciwko czemu moja dusza protestuje wielkim krzykiem. Jest to, niestety, reguła absolutna.

Po cmentarnej wycieczce Teresa nieco spauzowała, bo widać już było, że w niesprzyjających okolicznościach pożytku ze mnie wielkiego nie będzie, ale charakter jej się przecież z dnia na dzień nie zmienił.

Zaczęła zapadać na rozmaite dolegliwości, w porównaniu z wiekiem wręcz niegodne wzmianki, ale niesympatyczne. Pojawiło się migotanie przedsionków, została zabrana do szpitala, gdzie nie podobało jej się wcale, czemu trudno się dziwić, ale dość szybko została z tego wyciągnięta. I oczywiście natychmiast postanowiła wracać do domu.

Zdrowotna kraksa nastąpiła tuż przed Wielkanocą. Nasz rodzinny lekarz, od paru lat już opiekujący się samopoczuciem kolejnych członków rodziny, miał w planach własny wyjazd na święta do własnej rodziny, również niemłodej i nasuwającej pewne obawy natury zdrowotnej. Zarazem stwierdził bardzo kategorycznie, że w żadnym wypadku Teresa nie może zostać w domu sama, istnieje bowiem możliwość zapaści i ktoś musi przy niej czuwać. Za wcześnie w ogóle z tego szpitala ucieka, nikt jej nie wyrzuca, wręcz przeciwnie, służba zdrowia uważa, że powinna zostać chociaż kilka dni dłużej, ale na własną prośbę i własną odpowiedzialność owszem, może, tyle że nie bez fachowej pomocy. A jego wszak nie będzie...

Na wszystkie świętości błagał, żebym ją w tym szpitalu zatrzymała, bo czuł się nieco rozdarty, tu pacjentka, tam rodzony ojciec, kogo niby ma rzucić na pastwę losu? Zmartwiona i raczej bezsilna obiecałam, że się postaram, doktór pojechał, Teresa zaś natychmiast zaprezentowała charakter przodkiń.

W Wielki Piątek zadzwoniła i oznajmiła, że wychodzi, już się wypisała, łóżko jej przestało przysługiwać, ja zaś mam natychmiast przyjechać do niej, wziąć klucze od jej mieszkania, pojechać do jej domu, wziąć odzież, ponownie przyjechać do szpitala i zabrać ją z tej szatańskiej speluny. Stoi przy windzie i czeka. Nie był to zresztą pierwszy telefon, od czwartkowego wieczoru chyba szósty, a w piątek trzeci, moje prośby i tłumaczenia zaś stanowiły tony grochu, rzucane o ścianę. Możliwe, iż nie byłam dostatecznie przekonywająca, sama bowiem mam do szpitali stosunek nader podobny, a może i gorszy, ponadto doskonale wiedziałam, że w okresie świąt żadne leczenie nie wchodzi w rachubę. Okrojony silnie personel też ludzie i też świętują, i człowiek leży jak ta łajza boża w warunkach o wiele gorszych niż ma zazwyczaj w domu.

Dowcip polegał na tym, że z pielęgniarkami mojej matki trochę straciłam kontakt, w święta zaś prawie kompletnie stały mi się niedostępne. Jednakże Teresy przy windzie nie mogłam zostawić. Najpierw zrobiłam awanturę i ukrywając fakt, że jej zapasowe klucze mam u siebie w domu, oznajmiłam, że o żadnych podróżach przez pół miasta tam i z powrotem nie ma mowy, chce wychodzić, niech wychodzi jak stoi, po czym złapałam Witka, który do takich rzeczy ma anielską cierpliwość. Niewykluczone, że nawet mu się ten cały idiotyzm spodobał, do czego się nigdy dotychczas nie przyznał. Pojechaliśmy.

Musiałam z tego wszystkiego chyba rzeczywiście zgłupieć doszczętnie, bo na komunikat, że Teresa znajduje się na trzecim piętrze (jeśli na drugim, to już mała różnica), a winda osobom z ulicy jest niedostępna, ujrzałam krwawą czerń przed oczami, zamiast zwyczajnie dać cieciowi dwa złote. No trudno, zdarza się, różne osoby w takich stanach łapią siekierę, podpalają budynek... Na odpowiednie piętro poleciał Witek i zjechał windą z Teresą, przyodzianą elegancko w krótki sraczkowatej barwy płaszczyk, spod którego wystawała piżama, bardzo żółta w czerwone kwiatki. Rodzaju obuwia nie pamiętam, zapewne były to ranne pantofle.

Ależ oczywiście, że u siebie w domu na schodkach i w windzie spotkała co najmniej dziesięć procent stanu osobowego sąsiadów, ale już i jeden procent by jej wystarczył, piżama ciągnęła wzrok. Została doprowadzona do mieszkania.

No i wyskoczył problem pielęgniarki. Możliwe, że gdybym dysponowała doskonałym stanem zdrowia własnego, na trochę bym z nią została, chociaż nie gwarantuję, nie bez powodu odepchnęłam od siebie myśl o medycynie. Niestety, był to okres, kiedy mój stan zdrowia niewiele się różnił od jej, zaczęłam dzwonić po dziewczynach. Dopadłam jednej i od razu powiem, że była to znakomita, doświadczona pielęgniarka, życzliwa bez granic, wielokrotnie już zatrudniana w mojej rodzinie, absolutnie godna zaufania, chętna i akurat wolna, w dodatku nawet mnie lubiła. Niestety, miała jedną wadę, mianowicie z racji lat pracy i doświadczenia wiedziała lepiej.

Pacjent, jednostka kapryśna, grymaśna, oporna ogólnie, nerwowa i zawracająca głowę, nie miał nic do gadania. To ma zeżreć, to wypić, to zażyć, z zegarkiem w ręku, nie latać w pląsach po mieszkaniu, tylko uczciwie leżeć i cześć. Można go ewentualnie zabawiać rozmową, a poza tym niech się nie mądrzy.

Akurat coś dla Teresy. Ona też wiedziała lepiej.

Święta przeszły, zdaje się, że były dość skomplikowane, wrócił zdenerwowany doktor, piekło na ziemi wybuchło. Mylą mi się wydarzenia, zdaje się, że miałam razem dom w budowie, pracę, jakieś komplikacje z dziećmi, badania i zabiegi lecznicze, oraz rozmaite kretyństwa urzędowe. Pielęgniarkę dla Teresy musiałam zmienić, owszem, dokonałam tego, ale mam jakieś dziwne wrażenie, że ów stan łapania siekiery i podpalania budynku był moim stanem trwałym, bo w uczuciowej pamięci wzrokowej został mi „Szał" Podkowińskiego, otoczony czterema jeźdźcami Apokalipsy. I trochę wstrętu do samej siebie. Ciekawe, skąd ten wstręt...?

Może po prostu byłam niesympatyczna.

Dużą część zdrowia Teresa odzyskała. Zarazem, mniej więcej w tym samym czasie, trochę przedtem, trochę potem, mówię przecież, że mi się myli, ale ogólnie przez dość długi okres, Lilka usilnie zapraszała ją do siebie. Do Cieszyna. Byłyśmy już w Cieszynie, zawiozłam Teresę na pogrzeb Zbyszka, męża Lilki, gdzie byłam jedyną osobą, przez przypadek sensownie ubraną. Mianowicie miałam na nogach algierskie gumiaki, bo jakoś nie zdążyłam zmienić obuwia na eleganckie i okazało się, że na właściwym kawałku cmentarza w gliniastym błocie tonie się powyżej kostek. Trzeba było zobaczyć pozostałych żałobników, żeby pojąć, skąd mi się wzięła nagle nieprzyzwoita poprawa humoru.

Teresie u Lilki się spodobało i pojechałaby bardzo chętnie ponownie, pod jednym warunkiem jednakże. Otóż musi jechać ze mną. Właściwie w ogóle nie może jechać, bo okropnie się poci, a któż by się nie pocił, gdyby przy trzydziestostopniowym upale miał na sobie dwa swetry...? Dwa razy w tygodniu przyjeżdżał służbowo do Warszawy syn Lilki, Bohdan, mógł Teresę zabrać i chętnie oferował swoje usługi, gdyby nagle przestało jej się podobać i zmieniła zdanie, po trzech dniach mógł ją przywieźć z powrotem, to nie. Bo ona się poci. Ze mną tak, może jechać, bo co, bo w moim towarzystwie się nie poci? Bohdan tak grzeje, czy ja mrożę, czy jak? Nawet nie muszę z nią zostawać, mogę ją zawieźć, wrócić do Warszawy, potem po nią pojechać...

Ciemno w oczach robiło się wszystkim. Kto wie, może bym się i złamała, bo bardzo kocham Lilkę, gdyby nie jedna drobnostka.

No trudno, przyznaję się już do najgorszych cech charakteru i najwstrętniejszych postępowań, czort bierz, niech będzie, pociechą jest mi myśl, że gdyby ktoś chciał znaleźć we mnie starannie ukrywane obrzydliwości, kłody na tej drodze napotka i dobrze mu tak.

Otóż Teresa w czasie każdej podróży stękała.

Wszędzie, na każdej ulicy, na każdej drodze, na najkrótszym nawet odcinku, najdrobniejsza nierówność nawierzchni wyrywała z jej jestestwa odruchowe stęknięcia. Może ktoś mi pokaże w Warszawie bodaj kawałek jezdni idealnie gładkiej, bez żadnej nierówności, obejrzę ze wzruszeniem, bo ja czegoś takiego nie znalazłam. Bywało już, że jechałam straszliwym slalomem, starając się ominąć wystające wyloty kanałów, nie wspominając o dziurach, wszystko, cokolwiek budziło podejrzenia, cud, że nie spowodowałam żadnej katastrofy, bez skutku. Stękała bezustannie i było to, przykro mi bardzo, nie do zniesienia.

Do Cieszyna i z powrotem przy takim akompaniamencie... Dla mnie niemożliwe. Może ktoś całkiem głuchy...?

Czego ja się właściwie tej Teresy tak czepiam, świeć, Panie, nad jej duszą? Wcale nie była taka najgorsza, na wakacje do Łącka mnie zabrała, nauczyła robić manikiur, nauczyła leżeć na wodzie, na moją dwóję z historii się narwała, odcierpiała na sobie moją matkę w Kanadzie, do Kopenhagi przysłała mi raz dwieście dolarów, dobrowolnie przenocowała, kiedy Robert darł gębę po całych nocach i jakoś przy Teresie mu przeszło...

Rozbestwiła się chyba w ostatnich latach życia. Miała ten niefart, że z trzech sióstr była najmłodsza i przydeptana dokładnie. Moja czarująca matka prezentowała osobowość nie do przebicia, Lucyna miała i charakter, i umysł ho! ho!, obie razem potrafiłyby spłaszczyć hipopotama, a co tu mówić o jednostce ludzkiej. Plus babcia, z którą Teresa kotłowała się najdłużej, plus Tadeusz, na którym jej bardzo zależało i musiała się hamować, kiedy już wszyscy opuścili ten padół, wreszcie odżyła. Wystrzeliła z hukiem. Niestety, nadziała się na mnie.

A ja też nie od macochy i kura mnie zadnią nogą spod parkanu nie wygrzebała, prababcia z tamtego świata z aprobatą ku mnie głową kiwa. W życiu przez Teresę nie płakałam, Teresa przeze mnie owszem, raz, tyle że krótko, równorzędna siostrzenica natomiast, ta ze strony Tadeusza, Tomira, zdaje się, że przez Teresę wielokrotnie. Tomira przyjedzie i napluje mi na klamkę, więc dam jej spokój, nie będę już opisywać...

A właśnie opiszę. Coś człowiek charakterowi jest winien.

Co u mnie było...? Parapetówa...? Nie, stół już istniał i krzesła, nikt na pudłach z książkami nie siedział, tłum rodziny, więc chyba w grę wchodziła pierwsza wizyta dzieci z Kanady. Okres świąteczny Bożego Narodzenia, szał, wulkan i sama radość.

Monika określiła to później z lekką zgrozą w głosie:

– U babci jest jak na dworcu kolejowym...

No i oczywiście była wtedy Tomira, na którą Teresa zaczynała już przerzucać swoje rozkwity, skoro ja prezentowałam przypadek beznadziejny. A Tomira łatwego życia ogólnie nie miała, o czym wszak wiedziałam, do Kanady jej nigdy nie zaprosili, sama jechać nie miała za co, moim zdaniem była pokrzywdzona. U mnie atmosfera była taka więcej radosna, wiele osób spotkało się po latach, padali sobie w objęcia, Tomira czuła się doskonale, ale Teresa postanowiła jechać do domu. Wcześnie chodziła spać, proszę bardzo, nikt jej przeszkód nie stawiał, taksówka czekała. Teresa zażądała, żeby Tomira jechała z nią razem.

A niby po co? Dowieziona zostanie dokładnie pod same drzwi domu, wejść potrafi, nie zabłądzi, bagażu nie posiada, sprawnością fizyczną jeszcze wtedy dysponowała, a otóż nie, Tomira też ma jechać i koniec. Tomira wcale nie chciała, bawiła się świetnie, Teresa wywlokła ją przemocą, protestowałam oczywiście, Tomira popatrzyła na mnie wzrokiem zranionej łani i poszła.

Nazajutrz przyjechałam do Teresy i zgłosiłam pretensję.

– Czego się uczepiłaś tej Tomiry jak rzep psiego ogona? Na plaster ci ona była?

– Sama chciała iść.

– Nieprawda. Wcale nie chciała. Chciała zostać. Nie miała znowu w życiu tylu rozrywek, żeby jej tej jednej żałować!

– Przecież jej siłą nie ciągnęłam – rzekła Teresa z urazą.

A otóż właśnie ciągnęła. Złapała ją za rękę, a dłonie miała jak kleszcze, niewiarygodną siłę w sobie zachowały, i nie popuściła aż do końca, trzymała jeszcze w chwili wsiadania do taksówki. Nie omieszkałam, rzecz jasna, tego wytknąć, Teresa zapierała się zadnimi łapami, że nic podobnego, obraziła się na mnie w końcu. Z tej też przyczyny na jej dziewięćdziesiątych urodzinach potraktowana identycznie Tomira została przez nas zbuntowana, przez Małgosię i przeze mnie, odwiozła Teresę do domu i tą samą taksówką wróciła do knajpy.

I następnego dnia Teresa podejrzliwie i natrętnie dopytywała się, czy przypadkiem Tomira nie wróciła na przyjęcie. Obie z Małgosią zełgałyśmy, że byłyśmy tak strasznie pijane, że nie pamiętamy, przy czym powiedzmy sobie szczerze, że ja tak znowu bardzo łgać nie musiałam.

Odgadłam, w czym rzecz. Teresa była zazdrosna. Wciąż gdzieś w sobie pełna chęci do życia, wciąż pełna żalu i pretensji, że już tak nie może, nie potrafiła pogodzić się z możliwościami młodszego pokolenia. Skoro ona nie, pociechą byłoby, gdyby także nikt inny, stąd rozmaite głupie poczynania i w rezultacie opinia, że Teresa była okropna.

Mam straszne obawy, że cecha rodzinna odezwie się i we mnie. Pomijam już mojego ojca, który nienawidził aparatu słuchowego, ale Teresa ogłuchła również, z tym, że trochę wybiórczo, słyszała nie wtedy, kiedy trzeba. Medycyna poszła do przodu, osiąga coraz lepsze rezultaty, ale Teresa już nie chciała, ostatniego wynalazku nawet nie wypróbowała, upierając się, że i tak okaże się do niczego. Robiąc jedną z lepszych awantur rodzinnych, ryczałam do niej przez coś w rodzaju trąby, wykonanej z owalnej, plastykowej podkładki pod talerze, bo nic innego mi do ręki nie wpadło, i omal nie przyprawiłam Małgosi o pęknięcie ze śmiechu, w dodatku musiała się śmiać ukradkiem i na uboczu. Mimo doskonałego braku słuchu muzycznego, nie wspominając nawet o pamięci muzycznej, wciąż jednak coś słyszę, ale zastanawiam się z niepokojem, czy kretyństwo rodzinne też na mnie spadnie i w razie czego stanowczo odmówię posługiwania się pomocą techniczną.

Nie daj Boże. Mam nadzieję, że nie.

Gdyby nie ten mankament, z pewnością miałabym z nią więcej kontaktów bezpośrednich, bo w gruncie rzeczy do własnej rodziny mam mnóstwo sentymentu, lubię ją, lubię nawet jej najgorsze cechy. Może i ta Teresa dałaby się jakoś złagodzić, bo w końcu nikt lepiej ode mnie nie znał drogi trafiania do jej osobowości, poczucia humoru nie utraciła, ale nie dałam rady tak wrzeszczeć. Najlepiej załatwiała sprawę Małgosia, w jakiś sposób jej timbre głosu docierał do Teresy najłatwiej.

Ostatnie miesiące życia przejechała na rozruszniku, po czym umarła tak, że każdemu życzyć. Była w kuchni, stwierdziła, że jej trochę słabo, aktualna opiekunka, urocza dziewczyna, poprowadziła ją do pokoju, żeby mogła się położyć, po drodze słabość wzrosła, Teresa łagodnie opsnęła się dziewczynie z rąk, zaczekały, może niech odpocznie, no i w tym momencie umarła. Bardzo zadowolona z życia, z pogodnym wyrazem twarzy.

Między nami mówiąc, też bym tak chciała.

No, może raczej bez dalszego ciągu, bo to już byłaby chyba przesada i nawet wydawało mi się nietaktem opisywać wydarzenia do tego stopnia intymne, ale czy ja wiem...? Uczestniczki wydarzeń nie są w stanie o nich zapomnieć. Jak to się mogło stać, że Teresa umarła bez zębów, nie potrafię zrozumieć. Możliwe, że były niewygodne albo co, na urodzie bez świadków już jej nie zależało, dość, że zęby pozostały oddzielnie, a ona umarła oddzielnie. Zapłakana i ciężko zmartwiona aktualna pielęgniarka, mówiłam, że to złota dziewczyna, uparła się, żeby ją w te zęby ubrać, bo przecież lada chwila spotka się z Tadeuszem i jak wtedy będzie wyglądała? Małgosia i Tomira zaprotestowały, nie żeby żałowały Teresie wyglądu, tylko zwyczajnie nie umiały, było to dla nich za trudne technicznie. Dla wszystkich trzech było za trudne technicznie, zrezygnowały zatem, postanawiając za to ogólnie ubrać ją elegancko.

Oczywiście z podłogi została podniesiona od razu i ułożona na sypialnej kanapie, ubieranie okazało się trudniejsze niż którakolwiek z nich przypuszczała, czas w ogóle upłynął, bo i lekarz i akt zgonu i inne takie, nastąpiło stężenie pośmiertne. Jak ona została ułożona, nikt w ogóle nie może zrozumieć, ale coś jej się musiało nie podobać, bo jeszcze po śmierci strzeliła Tomirę w zęby.

We trzy twardo przyodziewały Teresę w jej ulubioną kieckę, szło im jak z kamienia, ani odwrócić, ani co, dwie z jednej strony kanapy, jedna, Małgosia, z drugiej, ni z tego, ni z owego zwłoki nagle obróciły się samodzielnie i jedna ręka o konsystencji drewnianej kłody... to przynajmniej jest naturalne... z potężnym zamachem rąbnęła Tomirę w szczękę. Aż grzmotnęło.

Małgosia powiedziała, że się w życiu nie przyzna do takiego ataku śmiechu, jakiego wtedy dostała. No, ale proszę, dlaczego akurat Tomira? Mówiłam, że zawsze była pokrzywdzona!

Zęby w rezultacie zapłakana pielęgniarka pieczołowicie włożyła Teresie do trumny. Moim zdaniem, należało jej włożyć także aparat słuchowy.

Osobiście w zejściu Teresy nie uczestniczyłam, zajęta nieco protestem przeciwko własnemu. Zaczynałam właśnie doznawać idiotycznych dolegliwości, ponadto nikt się nie spodziewał, że ona tak błyskawicznie przebiegnie na lepszy świat.

Aż dziw bierze, ale z samym pogrzebem Teresy już żadne głupoty nie wyskoczyły. Zbuntowana przeciwko marszom cmentarnym, do grobu dojechałam razem z Witkiem od drugiej strony i przejść musiałam zaledwie pięćdziesiąt metrów, co leżało w moich możliwościach, a stypa odbyła się w zachwycającej nowo otwartej knajpce pięćset metrów od mojego domu.

Inna sprawa, że do cmentarzy naprawdę muszę nie mieć szczęścia, bo za trumną matki mojej przyjaciółki, kiedy, zdawałoby się, nic dziwacznego nie powinno się przytrafić, szłam po takiej gołoledzi, że nawet uczucia lęgły się we mnie niestosowne. Przede mną szło dwóch panów, jeden starszy, drugi młodszy, szli obok siebie i jednemu noga ciągle zjeżdżała pod ciągnące się wzdłuż alejki groby. Zamiast pilnować, żebym sama się nie przewróciła, zainteresowana byłam wyłącznie oczekiwaniem, kiedy i na który grób facet się wyłoży, i czy temu drugiemu też nogi podetnie. Bardzo gorszące z mojej strony.

☆ ☆ ☆

Uprzedziłam, że okropności będą różnorodne i urozmaicone geograficznie.

Jakoś tak późną wiosną spadł na nas nagle telefon od Jagody i Waldemara z Piasków, z tym że nie z Piasków dzwonili, tylko skądś z trasy pomiędzy nami a nimi, z rozpaczliwą informacją, że właśnie gonią samochodem helikopter sanitarny i czy ktoś mógłby dopilotować ich ze skraju Warszawy na Lindleya, bo środka miasta nie znają. W helikopterze zaś leci Mieszko na operację, wraz z ostatnimi sekundami życia.

Pilotować Gotkowskich od razu pojechał Witek, zdążyli prawie tuż za śmigłowcem, Waldemar musiał mieć niezwykłe szczęście, skoro nigdzie na trasie drogówka nie stała, ale ściślejsze informacje uzyskaliśmy dopiero później, bo zdenerwowani rodzice na razie udzielali wieści nieco chaotycznie.

Mieszko źle się czuł już od dłuższego czasu, lekceważył własne zdrowie ile mógł, jednakże jego rodzaj pracy miał swoje wymagania. Połów ryb sieciami to nie jest zajęcie dla osób słabowitych i delikatnych, gnębionych bólami wewnętrznymi. Zdiagnozowano go źle, wykryto wprawdzie w pierwszej chwili ropne stany trzustki, później jednak zdecydowano się na zapalenie płuc i odesłano go do domu. Nastąpiła orgia pomyłek, wrócił do szpitala...

No i przyszła wreszcie chwila, kiedy w tym szpitalu spisano go na straty. I wówczas nastąpił cud.

Całe dzieje jego choroby i wyzdrowienia mam starannie spisane, bo Angelika, siostra Mieszka, przysłała mi faksem dziękczynny elaborat, zaadresowany do właściwych służb medycznych na wysokim szczeblu, z prośbą o ewentualną korektę. Poprawiłam jej tam jakąś zupełną drobnostkę, może przecinek, bo poza tym nie było co korygować, napisane zostało pięknie, po czym odesłałam, również faksem.

Z czego jasno wynika, iż całe pismo muszę mieć w domu, urządzenie go wszak nie zeżarło. I chciałam mieć w domu, z pewnością położyłam tak, żeby łatwo znaleźć, żeby mi, broń Boże, nie zginęło, w związku z czym za cholerę nie mogę teraz nigdzie na nie natrafić. Należało pirgnąć byle gdzie, samo wpadłoby w ręce.

Pominę zatem szczegóły naukowe, bo i tak nie o nie tu głównie chodzi, tylko o cud, i to podwójny. Cud zdarza się raz, tymczasem w tym wypadku zdarzyły się dwa, jeden po drugim, a wyglądało to jak upór Opatrzności, skierowany przeciwko zwykłej ludzkiej głupocie. Wręcz, można powiedzieć, zniecierpliwiony upór.

Zrozpaczona Jagoda miała na głowie ciężko chorego syna w elbląskim szpitalu, pierwszą falę letnich gości do zakwaterowania, karmienia i wszelkiej obsługi, córkę, która wśród tysiącznych kłopotów zaczynała rozkręcać w Gdańsku swój własny interes w branży spożywczej, męża, zmuszonego do zastępowania syna na morzu i zarazem piastowania roli kierowcy, oraz bardzo żywego wnuka, który w tym wszystkim nie miał się gdzie podziać. Dobrze chociaż, że jest to grzeczne, silne i uczynne dziecko. Nawet trudno się Jagodzie dziwić, że trochę z tego zgłupiała.

Kompletnie wyleciało jej z głowy, iż, przyjmując u siebie od prawie trzydziestu lat setki tak zwanych letników, przeważnie stałych i zaprzyjaźnionych, zna osobiście mnóstwo ludzi, w tym zaś lekarzy, specjalistów o wysokich kwalifikacjach. Nic, zero, nawet cień myśli o nich nie zaświtał jej nigdzie. Miotała się w rozpaczy, Mieszko w szpitalu dziarsko przenosił się na tamten świat, Gosia, jego żona, rwała przy łóżku męża włosy z głowy, kiedy pojawił się w Elblągu pan doktór, chyba ogólnie gastrolog, bo jakaż inna specjalizacja pasuje do jamy brzusznej, i tu mi właśnie brakuje zaginionego pisma od Angeliki.

Jeśli znajdę, skoryguję, ale od razu powiem, że nie zacznę go ponownie szukać, bo już pierwsza faza poszukiwań doprowadziła mnie do całkowitego zaniku znajomości języka polskiego i wolę nie posuwać się dalej. Jest to w końcu autobiografia czy nie? No to dlaczego mam unikać zwierzeń prywatnych...?

Załóżmy, że gastrolog. Przybył na jakieś konsultacje, na jeden dzień, i zupełnym przypadkiem obejrzał sobie listę chorych w szpitalu. Natknął się na znajome, zaprzyjaźnione nazwisko i natychmiast spytał, o co chodzi i co Mieszkowi jest. Dowiedział się dokładnie, sprawdził wyniki badań i w godzinę później śmigłowiec sanitarny przyjął pacjenta na pokład, a rodzice chorego, rzuciwszy wszystko, ruszali do Warszawy.

Dowcip polegał na tym, że pan doktór gastrolog następnego dnia o poranku odlatywał do Londynu. A może do Australii, przy Londynie nie będę się upierać. O niczym wcześniej nie miał pojęcia, a mógł wszak tej listy chorych nie przeczytać, bo medycznie rzecz biorąc, do niczego mu nie była potrzebna. I to był cud pierwszy. Natychmiast po nim nastąpił drugi. Pan doktór hipotetyczny gastrolog zdążył złapać telefonicznie swojego kumpla, jednego z najznakomitszych chirurgów części miękkich, właśnie jamy brzusznej, dzięki czemu pan doktór chirurg przed wieczorem już czekał u progu przygotowanej sali operacyjnej. Być może nieco streszczam i upraszczam, ale tu cud polegał na tym, że pan doktór chirurg również wyjeżdżał lada chwila i pojutrze już by go nie było. I też znał Gotkowskich, z Mieszkiem włącznie.

Operacja się udała, ostatnia chwila przyhamowała odrobinę, facetka z kosą, mocno zdegustowana, cofnęła się niechętnie i dopiero wtedy zaczęła się polka.

Zaraz do niej dojdę, ale pchają mi się natrętnie dywagacje metafizyczne.

Jak widać, naprawdę zgłupieli wszyscy. Jako pierwszy wystąpił sam Mieszko, który do swojego zdrowotnego upadku przyłożył się z całej siły własnym staraniem, następnie lekarz pierwszego kontaktu, następnie rodzice delikwenta razem z jego żoną, następnie cały personel elbląskiego szpitala, i widocznie było tego już za dużo. Pana Boga zgniewało, takiej koncentracji ludzkiej głupoty zapewne nie miał w planach, Mieszkowi nie było jeszcze przeznaczone, no i w rezultacie łaska boska musiała wystąpić osobiście. Innego wytłumaczenia tych wszystkich wydarzeń nie widzę.

Mieszko zaś przyłożył się następująco:

Otóż przez całe lata żywił się udoskonaloną metodą swojego tatusia. Waldemara przestałam się już czepiać, chociaż wielokrotnie służył mi jako przykład negatywny, ale, skruszona wielce, zwróciłam mu honor w kontaktach bezpośrednich nad wielkim półmiskiem świeżutko usmażonych kotletów rybnych. Owszem, przyznaję także publicznie, gdyby jadł wszystko to, czym usiłuje karmić go żona, nie zmieściłby się nawet w drzwiach dwuskrzydłowych, rozumiem, że musi uciekać, skoro sama schodziłam do kuchni Jagody na palcach, żeby mnie nie usłyszała i nie dała mi natychmiast czegoś do zjedzenia. Cholera, a to wszystko jest takie dobre...!

Zaraz, wróćmy do tematu. Waldemar zatem żywi się po swojemu, raczej dość dziwnie, przy czym bez względu na pogodę i temperaturę nigdy nie bierze na wodę niczego do jedzenia ani do picia. Okropne, ale rozumiem, wyjaśnił mi to względami technicznymi, oni nie płyną po to, żeby się opalać na spokojnym jeziorku, z wodą różnie bywa, obie ręce zazwyczaj zajęte, pod nogami balans, jeśli ktoś nawet zdołałby sięgnąć po termos, to zapewne tylko w tym celu, żeby ten termos utopić, albo wylać jego zawartość sobie na nogi, lub za burtę. A gdyby uparł się napić, ów płyn mógłby mieć na twarzy, na oczach, ewentualnie pod kołnierzem na klatce piersiowej. Do kitu, żadnych szans na takie luksusy.

No więc jada dopiero w domu, po chwili odpoczynku, płyny uzupełnia, organizm zaś ma przystosowany do niewielkich ilości pożywienia na raz. Nie wielka kopa czegoś za jednym przysiadem, tylko skromne porcje i jakoś mu idzie na zdrowie, a tłuszczu na nim ciężko się dopatrzeć. Dla ludożerców żaden cymes.

No tak, ale od swojego syna jest o te parę lat starszy, a Mieszko w naśladownictwie tatusia poszedł ciut za daleko.

Ja też się może żywię dość dziwacznie, ale gdzie mi do niego! O bardzo wczesnym poranku, udając się do pracy, nic absolutnie do gęby nie brał, nawet żadnego napoju. Na łodzi tak samo jak Waldemar, odwalał robotę o suchym pysku i tak aż do końca, aż do powrotu do domu, bywało, że późnym wieczorem. Wówczas dopiero pozwalał sobie na jedyny wyskokowy napój, jakiego w ogóle używał, mianowicie piwo, bo poza tym oni tam nie piją i kto chce, może się dziwić albo nawet nie wierzyć, ale przez prawie trzydzieści lat byłam tego naocznym świadkiem i za tę osobliwą powściągliwość mogę ręczyć. Zimne piwo, rzecz jasna, pił sobie wieczorkiem. Po czym konsumował rzetelną kolację w postaci produktów smażonych, ryb i mięsa, w ilościach być może nadmiernych. No i okazało się, że nie był to najdoskonalszy sposób żywienia. Bez wątpienia wspomogła go nerwica, wyskakująca od czasu do czasu i utrzymująca się niekiedy dość długo w wyniku rozmaitych turbulencji losowych, a przetłumaczyć sobie Mieszko nie dawał. Teraz dopiero, skruszony, położył nieco uszy po sobie.

Podobno wychudł na szkielet, ale tego świadkiem nie byłam, kiedy ujrzałam go w siedem miesięcy później wyglądał już jak róży kwiat i pączek w maśle...

Chyba się cofnę dygresyjnie, bo w końcu znam go od chwili, kiedy z dużym wysiłkiem właził na schody na czworakach, inaczej jeszcze nie umiał. Wyrósł doskonale, ćwiczeń fizycznych nie unikał, z zapałem uprawiał motocross i od wczesnej młodości uczestniczył w połowach ryb. Poczucie odpowiedzialności stanowiło dla niego wprawdzie pojęcie obce, ale poza tym był bardzo porządnym chłopcem, nie pił, nie palił, skłonności do awantur i mordobicia nie miał najmniejszych i lubił swoją pracę. W niej wyrabiał w sobie siły fizyczne.

Rybacy mają wstrząsającą siłę w rękach, podobnie jak kowale, specjaliści od koni. Nie da rady zrobić koniowi pedikiuru inaczej jak ręcznie i nie da rady wybierać w wodzie ryb z sieci inaczej jak ręcznie, wielkie trawlery wyciągają wprawdzie całą sieć z morza dźwigiem i walą na pokład, ale kutry rybackie zmuszone są działać różnie, bo takie, na przykład, łososie albo sandacze ławicami nie chodzą. Wybiera się pojedyncze sztuki, a sieć tkwi w dnie trwale, wyciąga się ją tylko przed sztormem, żeby nie poszła w strzępy. Upraszczam ogólnie, więc fachowcy niech się nie czepiają.

No i ten rodzaj pracy wyrabia ową siłę, a Mieszko bez trudu zbliżył się do rekordu. Miało to swoje mankamenty, co przy różnych okazjach padało na mnie.

Do psucia, czego dopadnie, Mieszko zawsze był utalentowany wprost niezwykle. Jak wiadomo, prawie każdy mężczyzna, zaabsorbowany rozmową, łapie ze stołu cokolwiek i bawi się tym ze skutkiem rozpaczliwym. Po przywiezieniu Gotkowskim trzeciego kolejnego korkociągu na dźwignię, oraz wyprztykaniu do imentu gazu z zapalniczki, po pierwsze, zaczęłam przyjeżdżać z zapasowym korkociągiem prywatnym, starannie przed Mieszkiem ukrywanym, a po drugie, jęłam dawać pilne baczenie na jego ręczne rozrywki przy stole. Łagodnym gestem wyjmowałam mu z dłoni zapalniczki, długopisy, telefony komórkowe, pęsetę, pilota do samochodu, aparat fotograficzny, przenośną słuchawkę ich własną, domową, oraz w ogóle wszystko, co nie było kamieniem albo kawałem bezużytecznego żelaza. Zdaje się, że nawet i tym ostatnim przedmiotom Mieszko dawał radę. Rzecz jasna, bezwiednie, złośliwość wykluczona.

Muszle zbieram i kupuję wszędzie, gdziekolwiek się znajdują. Raz trafiłam na cudowny stragan w Krynicy Morskiej, na którym to straganie leżały łupy, dostarczane właścicielowi przez rodzinnych i zaprzyjaźnionych marynarzy z mórz południowych, i nabyłam między innymi... no i jakże się to nazywa? Nie Diabeł Morski, to pewne, nie jeżozwierz, bo jeżozwierz jest ssakiem lądowym, zapomniałam, ale pogmeram w encyklopediach i przypomnę sobie. Kuliste, mordę, oczka i ogonek posiada, a strukturą bardzo przypomina moje domowe jeże w stanie silnego gniewu.

(No nie wiem. Sprawdziłam w encyklopedii i wychodzi mi, że jest to jeżowiec morski. Jakoś nie mam zaufania do tej informacji, ale może...?)

Kłopot mieliśmy obydwoje ze sprzedawcą, jak ja mam to zabrać. W co zapakować? Miało uczepiony cienki sznureczek do zawieszania, wyobrazić sobie nie potrafię kto i jakim sposobem ten zaczep załatwił, fakir jakiś...? Derwisz...? Wzięte zwyczajnie do ręki przebijało dłoń na wylot, mam wracać do Piasków, trzymając za sznureczek? Którą ręką? Rączka biegów ma swoje wymagania, kierunkowskaz również, krwią z kolan ociekać chwilowo mi się nie podobało, chyba facet znalazł w końcu jakieś pudełko, do którego włożył stworzenie w grubej, pękatej, papierowej torbie.

Przyjechałam i dumnie pochwaliłam się zdobyczą Waldemarowi. Waldemar obejrzał bardzo ostrożnie i zachichotał.

– Może dać to Mieszkowi do ręki. Za pół godziny powie, że te kolce były tak jakoś słabo przylepione i już potem będzie pani łatwiej...

Tak właśnie prezentował się Mieszko pod względem kondycji, do której zaczął już wracać po blisko roku niedomagań, i nawet byłam zadowolona, że nie oglądałam go wcześniej w charakterze wynędzniałego szkieletu, bo bez wątpienia nie był to widok, z którym łatwo mogłabym się pogodzić.

Skoro jednak już weszłam dygresyjno-wstecznie na Waldemara...

Wpadło mi w ręce zdjęcie, specjalnie wykonane w celach dokumentalnych, rozweseliło mnie niezmiernie i dało coś niecoś do myślenia, bo zbiegło się przypadkiem ze zdjęciami domu Alicji. Też robiłam je osobiście i zważywszy mój talent w tej dziedzinie, nie oddaje jak należy charakteru zjawiska. Nie oszołamia widokiem tak jak powinno.

Otóż Jagoda w Piaskach ma za mało miejsca dla swoich gości i dla swojego zaplecza kuchennego. Wiadomą jest rzeczą, jeśli nie dla wszystkich ludzi, to w każdym razie dla każdej normalnej kobiety, że do przygotowania codziennie osiemdziesięciu obiadów niezbędne jest posiadanie w domu produktów stałych w postaci mąki, soli, cukru, kartofli, jarzyn, mięsa, tartej bułki, ryb oczywiście, sfiletowanych, podwędzanych, podmarynowanych, podmrożonych (tatara z łososia robi się po całodobowym mrożeniu ryby, inaczej nie wolno), tłuszczów różnych, przypraw i co ja tu jeszcze będę wymieniać, miliona rozmaitych rzeczy. Świeże ma być pieczywo, sałata i ewentualnie mleko, a od kupowania codziennie całej reszty kamień dostałby pląsawicy nerwowej. I to wszystko trzeba gdzieś trzymać.

Ponadto gdzieś trzeba trzymać wszelkie naczynia, garnki, patelnie, talerze, szklanki, sztućce... Zamrażarki zajmują wielką przestrzeń, kuchnia, blaty, maszynki do mięsa, no, pełne wyposażenie spożywczej hali produkcyjnej, jakoś to się musi mieścić i Jagoda miałaby nawet wspaniałą swobodę, gdyby mogła użytkować wszystkie przylegające do kuchni pomieszczenia. Jakie tam wszystkie, wystarczyłoby jedno!

No tak, ale na tym samym poziomie mieściła się zawsze sieciarnia Waldemara, także garaż, który funkcji garażu chyba od początku swego istnienia w ogóle nie pełnił, ryby, jako takie, były ważniejsze. Daję słowo, przez całe lata byłam przekonana, iż owa rybno-parterowa część domu składa się z jednego dużego pomieszczenia i cześć, ostatnio dopiero okazało się, że takich wspaniałych komnat jest razem cztery. Nie tylko rozparłby się tam luksus kuchenny, ale jeszcze co najmniej dwa dodatkowe pokoje z łazienkami dla gości, którzy z wózkami dziecinnymi, względnie inwalidztwem własnym z przyjemnością zrezygnowaliby z wszelkich schodków.

Musiałam zaprezentować niejako tło sytuacji, za co panią Jagodę najuprzejmiej przepraszam. Pana Waldemara nie, bo i tak jedziemy na tym samym wózku i powinien być całkiem zadowolony z towarzystwa, w jakim się znajduje. Straszliwy bajzel, który tam wykonał, prawie godny jest domu Alicji w najwspanialszej fazie rozkwitu. Próbowałam sobie zapisać, co też się w tym skarbcu Waldemara znajduje, część przedmiotów jednakże była mi nie znana i nie umiałam ich określić, w każdym razie chomąta na konia chyba nie widziałam. Za to okrągły blat od stołu, w jednej trzeciej pęknięty, oblazły z forniru, z przymocowaną jedną nogą owszem. Co do pozostałych nóg, nie mam wiedzy. Miłość do rozwieszonych na ścianach sieci mogę zrozumieć, ale po czterdziestu latach głowę daję, że są zleżałe i do niczego się nie nadadzą, miłość musi być zatem bezinteresowna, a eksponat bez trudu dałoby się ścieśnić. Rozumiem także czterdzieści osiem słoiczków, z których w każdym znajduje się kilka śrubek, bo śrubki są różne, tyle że wychodzi z tego identyczna proporcja jak jedna gałązka ostróżki z nasionkami w pudle po telewizorze u Alicji.

Też miałabym to samo, a nawet gorzej, bo u mnie dodatkowo rozwija skrzydła niecierpliwość, bardzo przeszkadzająca w sprzątaniu i odkładaniu na właściwe miejsce, gdyby nie pani Henia i Małgosia, które ograniczają moją swobodę działania wyłącznie do warsztatu pracy, twardo pilnując reszty domu. Bywa, że ukradkiem wyrzucają mi niektóre pudła, a mnie potem brakuje lekkiego pojemnika do zbierania pokrzyw i skrzypów! A śrubki i gwoździki mam wymieszane w jednej puszce i za każdym razem trzeba w niej grzebać do uśmiechniętej śmierci! Zgroza ogarnia.

Przyznam się, że, mimo pełnego zrozumienia, poruszona rozgoryczeniem Jagody, ukradłam ze skarbca Waldemara kawał zaolejonej tektury i dużą foliową torbę z mnóstwem starych, dziecinnych bucików na sztucznym futerku. Tekturę, ładnie, acz z wysiłkiem, złożoną, ukradkiem wetknęłam w rozpałkę pod kominkiem, a buciki wyrzuciłam do śmietnika. Nikt świętokradztwa nie zauważył.

No i teraz, co w tym jest? Tak różne osoby, w tak różnych warunkach, o tak podobnych cechach charakteru? Za rączki możemy się wziąć we troje, Alicja, Waldemar i ja, i pląsać po łączce, bawiąc się na przykład w kółko graniaste. Osobliwe zjawisko!

No dobrze, wracam do tematu.

Mieszko szczęśliwie przychodzi do zdrowia. Wzbronione są mu jeszcze nadmierne fizyczne wysiłki, na łodzi nie wolno mu ciągnąć sieci, może najwyżej sterować, ale nie ma chyba powodu, dla którego przy sterze nie miałby stać szyper, który świetnie umie to robić.

Cały ten dramat miał jednakże daleko posunięte konsekwencje.

W pierwszej kolejności straszliwe zamieszanie nastąpiło w domu Jagody i Waldemara, gdzie zaczynali się zjeżdżać goście na lato, podczas gdy główna osoba znikła z horyzontu. Nawet dwie główne osoby. Zdenerwowana Angelika rzuciła swoje napoczynane przedsiębiorstwo i przyjechała zastąpić matkę, nie mając przy tym prawie żadnej pomocy, bo angażowanym zazwyczaj na sezon dziewczynom jeszcze się nie zaczęły wakacje. Z najmłodszą progeniturą kotłował się dziadek po kądzieli, Gosia rozpaczliwie usiłowała siedzieć przy mężu, nie mając przy tym jego normalnych dochodów, ogólny płacz i zgrzytanie zębów.

Przedsiębiorstwo Angeliki zostało jednakże uratowane i ruszyło, bo ją z kolei zastąpił narzeczony, do tego momentu może i niepewny, zaraz potem ustabilizowany na granit, okazał się bowiem tak operatywny i pełen poświęcenia, że przesądził sprawę. Grymaśna dotychczas pod względem mariażu zgoła niebotycznie Angelika wreszcie musiała się zdecydować i chyba słusznie uznała, iż lepiej trafić nie mogła. Wielbi ją osobnik przytomny, bystry, godzien zaufania i nadzwyczajnie pracowity, zasługuje na wielkie nagrody, trzeba zatem obdarować go tym, czego pragnie, czyli własną osobą. Poparcie zyskała silne i powszechne. Wzięły ślub prawie równocześnie, Angelika i moja wnuczka Monika, Angelika pierwsza, Monika zaraz za nią. Monice potrzebny był wyłącznie dyplom bez żadnych dodatkowych bodźców, ściśle biorąc, dwa dyplomy, jej i Tidżeja, i uzyskali je równocześnie, tego samego dnia. Śluby obu dziewczyn były bardzo podobne, a różniły się między sobą wyłącznie klimatycznie, Angelice wiał dziki wicher, połączony z zamiecią śnieżną, a Monikę przygrzewało tropikalne słoneczko, bo na miejsce akcji wymyślili sobie Dominikanę.

Na żadnym z tych ślubów nie byłam, czego odżałować nie mogę, ale akurat wtedy z dużym wysiłkiem wygrzebywałam się z kretyńskich dolegliwości zdrowotnych i o rozrywkowych podróżach nawet nie miałam co marzyć. Jedyną pociechę stanowiły przygotowania przedślubne Moniki. I tu już wreszcie mogę się odczepić od najobrzydliwszych okropności.

Przygotowania przedślubne Moniki zaczęły się trzy kwartały wcześniej, kiedy w lecie przyjechała do Warszawy szyć ślubną suknię.

Obiecany miała ten strój już od lat, a obietnicę samorzutnie złożyła jej chrzestna matka, bratowa Zosi, posiadająca pracownię sukien ślubnych.

– Kieckę masz ode mnie – zapowiedziała stanowczo, chociaż może niekoniecznie akurat tymi słowami, ale na tym stanęło i zostało na zawsze.

W celach technicznych Monika musiała jeździć do Pruszkowa, bo tam się owa pracownia znajdowała, co nie stanowiło wielkiego problemu, Pruszków nie leży za morzem i nawet Wisły nie trzeba przepływać. Należało wybrać fason, materiał, ten materiał kupić, rozważania nad żurnalami odbywały się także i u mnie i, zadziwiająca rzecz, wszystkie trzy, moja synowa, moja wnuczka i ja, wybrałyśmy to samo. Że wnuczka, rozumiem, ma prawo do genów po babci, ale synowa z teściową powinny trochę do siebie nosami pokręcić, a tu nic. Ciekawe... A, może zawód ma wpływ, Zosia też studiowała architekturę.

Pierwsza miara została odpracowana, następne czekały na kolejny przyjazd, w Boże Narodzenie. No i tu wylągł się dramat. Otóż okazało się, że wszystko świetnie, wszystko jest, kiecka pięknie wychodzi, tylko butów nie ma. Ślubne pantofle nie istnieją i cześć.

Dziewczyny oczywiście szukały ich w Kanadzie, szukały w Paryżu, szukały przez Internet, chała, wszystko śmiertelnie brzydkie. A Monika chciała ładne i wcale jej się nie dziwiłam. Z niejakim zaskoczeniem uświadomiłam sobie, że istotnie, w żadnych obuwniczych salonach, na żadnych wystawach, w żadnych specjalistycznych akcesoriach ślubnych, wyboru odpowiednich pantofli nie widziałam. Gdzieś tam czasem pętała się jedna para, względnie dwie i nic więcej, zdumiewający nieurodzaj.

W Warszawie, rzecz jasna, również zaczęły szukać od pierwszego kopa i prawie cały czas świąteczny został wypchany penetracją, przeplataną przymiarkami. Kiecka w porządku, pięknie wychodzi, a butów nie ma. Delikatnie napomykałam, że ta Dominikana, tu ocean, tu plaża, może po prostu wystąpić boso, ale, szczerze mówiąc, gdyby moja wnuczka na to poszła, pewnie bym się jej wyrzekła. Napomykałam także o „Panoramie", bo „Arkadię", „Złote Tarasy", wszelkie pawilony, megasamy i supermagazyny już obleciały, „Panoramę" jakoś omijając, bo tam drogo, a w ogóle ona mniejsza, na pewno nie ma wyboru i nie wiem co jeszcze.

Prawie ostatniego dnia przed ich wyjazdem, no, przedostatniego... byłam u fryzjerki, gdzie oprócz mnie znajdowała się jeszcze jedna, już wychodząca klientka. Baby od tego mają gębę, żeby rozmawiać, w przeciwieństwie do mężczyzn, którym gęba służy głównie do wchłaniania pokarmów stałych i płynnych. Zwierzyłam się z kłopotu, natychmiast napotkałam pełne zrozumienie, przyświadczono mi, rzeczywiście, pantofli ślubnych nie eksponuje się, nie wiadomo dlaczego, ale wychodząca właśnie klientka, którą temat na moment zatrzymał, poparła „Panoramę". Jakoś jej się wydaje, że ostatnio tam coś widziała, drogo, bo drogo, ale coś było.

Uzgodniłyśmy poglądy, przyleciałam do domu, złapałam na komórkę dziewczyny, właśnie wracały z miasta, uczepiłam się „Panoramy" jak rzep psiego ogona, po drodze mają, teren nie taki wielki, do diabła z cenami! Co im szkodzi popatrzeć?

No i szczęśliwa i promienna Monika wróciła z prześlicznymi pantoflami akurat takimi, jak chciała, idealnie dopasowanymi do kiecki, i nawet koszt nie zdołał jej przytłamsić, bo od razu powiedziałam, że ma je od babci. Diabli wiedzą, co komu kiedy kupiłam i za ile, ale ślubnymi pantoflami Moniki jestem tak uradowana i tak z nich dumna, że absolutnie nie mogę się tym nie pochwalić. Czymś w końcu czasem trzeba.

Stąd zresztą zdjęcie młodej pary, specjalnie tak wykonane, żeby było widać pantofle.

W prawie ostatniej chwili wystrzelił jeszcze problem transportu. Jak przewieźć suknię ślubną, raczej obfitą, żeby się nie pogniotła? W foliowym worze czekała w mojej garderobie, gdzie kaloryfer został zakręcony, bo nadmierne ciepło mogłoby jej zaszkodzić, no i co z nią zrobić dalej? Wielkie pudło, jakie pudło, nie daj Boże jeszcze na nim ktoś usiądzie, albo niedbale przytłamszą je jakimś ciężarem, żelaznego nie mieliśmy, walizka! Owszem, już od dwóch lat znajdowała się u mnie walizka Moniki, pękata, twarda i sztywna, rozmiarów dostatecznych, zatem walizka,

w niej samotna suknia i absolutnie nic więcej. Z obawą napomknęłam, że może wzbudzić podejrzenia rozjuszonej
terrorystami kontroli, taka wielka i taka lekka, z pewnością
zawiera w sobie coś podejrzanego, na myśl, że mieliby brutalnie gmerać w tych jedwabistych zwojach, wszystkim
osobom płci żeńskiej zrobiło się słabo, któraś solennie
obiecała, że ich, tych kontrolerów, pozabija, ale jednak nie.
Nie gmerali, więc nie musiała. Walizka razem z kiecką
przejechała luksusowo.

Niby nic i w ogóle drobnostka. Ale cały okres świąteczny był tak rozczulająco wypchany tymi akcesoriami ślubnymi, że znikło przy nich wszystko, dyplomy, praca, mieszkanie, dom, zgoła cała reszta świata. Doznaję wrażenia, że
w tym ślubie uczestniczyłam co najmniej pięć razy i nic nie
poradzę, że jest mi przyjemnie.

Przy okazji przypomniałam sobie, że rok ogólnie był
wtedy zły, ale zawierał w sobie elementy pocieszające.

Jeszcze wiosną zaczęłam odczuwać jakieś idiotyczne dolegliwości, jakby lekki niedowładzik prawej ręki. To mi
mrowiło, to mi drętwiało, głupie i niewygodne, nie wiadomo, z czego się bierze, kiedy wreszcie, już na początku jesieni, okazało się, że mam okropny kłopot z włożeniem na
siebie odzieży z rękawami, straciłam cierpliwość. Oszczę-
dzałam tę prawą rękę odruchowo i głupio z bardzo proste-
go powodu, bo mnie w ramieniu wściekle bolało, o tym
oszczędzaniu zapominałam, aż kiedyś przez zapomnienie
wrzuciłam do kominka wielki kawał drewna i dech mi zaparło dokładnie, no i wówczas cierpliwość straciła także
i Małgosia, przypadkowo oglądająca ten miły widok.

Obydwoje z Witkiem zawlekli mnie gdzieś tam. No owszem, już wcześniej myślałam o ortopedzie i przystąpiłam
do poszukiwania doktora Węgrzyna, specjalisty chirurgii
ręki, który przed laty uchronił mnie od trwałego kalectwa,
ale niestety, okazało się, że doktór Węgrzyn od kilku lat nie

żyje. Zdenerwowało mnie to tak, że kompletnie straciłam serce do pomocy medycznej, Małgosia z Witkiem musieli zatem zużyć dosyć dużo wysiłku, żeby mnie zawlec. Łatwiej by im chyba przyszło nakłonić cielną krowę do występów tanecznych.

No i wyszło na moje. Rentgen, rozumiem, USG, rozumiem, bez tych wszystkich dyrdymałów lekarze nie potrafią postawić diagnozy, ale wszelkie te badania przewidziane są dla osób doskonale zdrowych, sprawnych i w pełni sił, a najlepiej dla sportowców. Proszę podnieść rękę, wyżej, wyżej, obrócić ramię, mówiono do mnie, cha cha, łyżki do ust podnieść nie byłam zdolna, a oni mnie tu do rozmaitych ćwiczeń nakłaniają, potwornie śmieszne. W rezultacie dowiedziałam się, że coś mi się tam zrobiło i zabieg chirurgiczny będzie niezbędny.

O, rzeczywiście, a kiszka z grochem. Ściągnęłam do siebie znajomego masażystę, rehabilitanta sportowego. Zgadł co mi jest od razu i nawet powiedział, że sam miał dolegliwość podobną. Trochę zmartwiony, bo leczenie należało zacząć wcześniej, obliczył mnie na co najmniej pół roku starań. No i zaczął.

Gradacja bólu przy tych zabiegach prezentowała się następująco:

Żadnych eufemizmów nie będę używać, bo obecnie w literaturze nawet wysokiego lotu stosuje się określenia proste, jasne i dla ludu miast i wsi w pełni zrozumiałe.

– Boli? – pytał masażycta.

– Boli – odpowiadałam, skrzywiona.

– A teraz?

– O, bardziej boli!

– A te...

– Kurwa mać!!!

Więcej już pytać nie musiał.

Klatka schodowa, której właściwie do chodzenia nie używam, służyła jako sprawdzian, do którego sęczka na poręczy dosięgnę. Kiedy w tydzień później pokazałam Małgosi, jak to wygląda, najpierw znów straciłam dech, a potem okazało się, że przesadziłam i coś mi tam niepotrzebnie przeskoczyło, znaczy cofnęłam się w rozwoju. Masażysta nawet się trochę zmartwił.

Zabiegi dodatkowe, kataplazmy czyli rozgrzewające okłady, dostarczyły atrakcji nieoczekiwanych. Nie cierpię lekarstw, szczególnie unikając chemikaliów, złapałam zatem czym prędzej naukowe dzieła zielarskie. Masażysta znalazł właściwy tytuł, okazało się, że moja osobista dolegliwość nie jest czymś nowym i nieznanym, nosi nazwę ściśle medyczną i można się przy niej posłużyć odpowiednią mieszaniną ziół, jedne do picia, drugie do okładania. Bardzo dobrze, to mi się spodobało.

Do picia, jak do picia, sprawa prosta, miesza się ingrediencje przyrodnicze, zaparza, czeka pół godziny i wypija trzy razy dziennie, nic wielkiego. Kataplazm natomiast...

Proszę bardzo, niech ktoś spróbuje jedną ręką, drugą mając nieruchomą, umieścić na ramieniu gorącą ziołową masę owiniętą gazą i rozklepaną, na to folię, bo skąd miałam wziąć zalecaną w instrukcji obsługi przedwojenną ceratkę, na to płat watoliny, żeby nie stygło, i całość owinąć bandażem, żeby się w ogóle trzymało.

Dokonałam tego dzieła, z zapartym tchem, z zaciśniętymi zębami, pojękując i sapiąc, nie wszystko równocześnie rzecz jasna, na zmianę sapałam, jęczałam i zgrzytałam zębami, zawiązałam bandaż na kokardkę, żeby wzięły w tym udział dodatkowy, i opuściłam łazienkę, żeby w kuchni uporządkować naczynia. Odpoczęłam, troskliwie przyklepując bułę na ramieniu, na które w pocie czoła zdołałam naciągnąć gruby szlafrok.

Kiedy ponownie weszłam do łazienki poczułam się mocno zaskoczona. Kto na litość boską upiększył pomieszczenie malowniczo rozmieszczonymi, elegancko mówiąc, ekskrementami...? Nie ja przecież! Kotów w tym czasie w domu nie było, ani jedna sztuka nie plątała mi się nigdzie, skąd to...

Pociągnęłam nawet nosem, nie śmierdziało.

Ulgi doznałam niezmiernej, uświadomiwszy sobie, że to nie żadne ekskrementy, tylko resztki odciśniętych z wody ziół, oderwanych od kataplazmu i wypsniętych spod gazy. Cholera. Za mały kawał gazy wzięłam, trzeba to będzie skorygować.

Posprzątanie podeschniętych już ziół z gładkich kafelków nie napotkało trudności, we właściwej chwili pozbyłam się kataplazmu, odpracowałam przerażające ćwiczenia i z wielką niechęcią zobowiązałam się kontynuować je samodzielnie aż do następnego masażu pojutrze. Tu machać, tu podnosić, tu wykręcać i tak dalej. Nie twierdzę, że czyniłam to z wielkim zapałem, ale jednak.

Przy następnym okładzie wspomogła mnie Małgosia, co stanowiło kolosalną różnicę, trzy sprawne ręce to zupełnie co innego niż jedna. Ominęło mnie sprzątanie.

Zdawałoby się, że po krótkim czasie nabrałam już wprawy, z gazy tworzyłam coś w rodzaju płaskiego wora, zioła się nieźle trzymały, poza tym oczywiście, że woda z nich ściekała mi w rękawy szlafroka oraz ogólnie we wszystko, co miałam na sobie. Małgosia pomagała mi przy każdej okazji, wypadało mniej więcej co trzeci raz, nie spodziewałam się już żadnych wstrząsów i może nieco zlekceważyłam zabieg, bo po kolejnym wejściu do łazienki w celu zdjęcia kompresu ujrzałam na podłodze coś, co tak bardzo przypominało końskie łajno, że niepomna poprzednich doświadczeń, prawie uwierzyłam w wizytę jakiegoś konia.

Nie, to znów zioła. Kawałkami musiały wylecieć i sama już nie wiedziałam, którędy. Udręki ulegały jednak stopniowo ograniczeniu i po dwóch miesiącach masażysta odbył ze mną ostatnią rozmowę.

– Boli panią? – spytał podejrzliwie.

– Nie.

– A teraz?

– Nie.

– A teraz?

– Też nie.

– A teraz?

Zniecierpliwiłam się.

– Co panu tak zależy, żeby mnie bolało? Nie boli, nic nie poradzę! Mówiłam, że już mogę trzymać rękę w kieszeni i zapiąć spódnicę na tyłku! Nie boli i cześć!

– To ja panią wyleczyłem? – zdumiał się śmiertelnie.

No wyleczył. Bez żadnych zabiegów chirurgicznych, w dwa miesiące, chociaż na początku liczył mnie na co najmniej pół roku. I tu znów nastąpiło coś w rodzaju cudu, bo krótko potem zapadłam na idiotyczne astmy i oskrzela, i wzbroniono mi jakichkolwiek wysiłków. Już widzę te ćwiczenia gimnastyczno-lecznicze, te wymachy i sięgania, te wygibasy przy kataplazmach, dokonywane bez żadnych wysiłków, jedno z dwojga, albo utrwaliłby mi się nieodwracalny paraliż, albo śmiertelne zejście. A może i jedno i drugie. Genialny rehabilitant!

Resztka wymieszanych porządnie ziół do okładów jednakże została mi w pudełku od butów i posłużyła kotom. Szału na jej tle dostały, od pudełka oderwać się nie mogły, raz udało im się nawet zepchnąć wieko i upstrzyć sobie łby suchym proszkiem, dziwiłam się krótko, bo przypomniało mi się, że wśród innych składników znajduje się tam także odrobina waleriany. Nikła, bo nikła, ale kotom starczyła.

No mówię przecież. We wszystkich okropnościach i obrzydliwościach zawsze znajdzie się jakiś element pocieszający, może i malutki, może tylko jeden, ale za to jaki…! Słowo daję, warto go docenić.

A, właśnie! Przy okazji zyskałam chyba wiedzę praktyczną o narkomanach.

*Z lewej Jagoda Gotkowska, już szczęśliwa po uzdrowieniu Mieszka,
z drugiej autorka niniejszego.*

*Nader ograniczony i bardzo nędznie oddany
widok kawałka garażu-sieciarni-skarbca Waldemara,
już chyba po podwędzeniu mu torby z dziecinnymi bucikami.
Jedną setną widać.*

Zwierzątko, będące zapewne jeżowcem morskim od frontu.

Proszę, mówiłam, to samo zwierzątko i ma ogonek, mordkę i tak dalej.
No i kolce…

Happy
Easter

Wesołych Świąt Wielkanocnych!

Love,
Monika & TJ

Monika z Tidżejem natychmiast po dyplomie.

Ślub mojej wnuczki, prowadzonej przez tatusia,
co do którego chyba poszły zakłady: pęknie z dumy czy nie?

Zdjęcie dokumentalne. Jedyne, na którym widać te pantofle od babci.
Specjalnie dla tego widoku zrobione.

Także zdjęcie poślubne, co łatwo każdy odgadnie.

Najbliższa rodzina pana młodego.
Od lewej: mamusia, panna młoda, pan młody, tatuś.

Panna młoda i dwóch tatusiów.
Znaczy, żeby nie było nieporozumień, jeden jest teściem.

Rodzice panny młodej. Zosia w tej kiecce wygląda, jej zdaniem, okropnie grubo,
ale po pierwsze, krawat Roberta jest z kawałka tej kiecki zrobiony,
a po drugie już zdążyła schudnąć około ośmiu kilo.

Ślub Angeliki, który odbył się trzy tygodnie wcześniej w warunkach poniekąd odwrotnych. Jeden w zamieci śnieżnej, drugi w tropikach.

Najbliższa rodzina. Stoją, od lewej: tatuś pana młodego, pan młody, Jagoda, Waldemar. Siedzą, też od lewej, co nie jestem pewna, czy potrzebnie piszę: Angelika i babcia.

Państwo młodzi. Jak one obie to zrobiły, że bez żadnego wzajemnego porozumienia i w tak odmiennych warunkach ubrały się prawie identycznie, nikt nie potrafi zrozumieć.

Pierwszy raz wreszcie mam ich razem.
Małgosia, Marta, jej córka, występująca obficie w „Zapalniczce",
jej chłopak Michał, zważywszy płeć, wiadomo, kto od której strony.

Oraz Witek, chyba w jednej z ulubionych chwil życia.
W ręku trzyma aparat fotograficzny, a co więcej, to nie wiem.

*Marta, niewątpliwie również w jednej z ulubionych chwil życia.
Koniara od urodzenia.*

Marta na koniu, osobiście wytresowanym, który, słowo daję, tańczy!

*Witek i Robert. Wprawdzie ich źle widać, ale zapewniam, że szczęśliwi.
Przygotowują grilla.*

towarzystwo

WSZYSTKO ch M I e L e w/skie

zaprasza SZAnOWną Panią

do udziału W ważnej sprawie !

prezes chce
uporządkować grupę !

to w dużej
mierze
kanibalizm !! WŚRÓD PRZYJACIC

SERDECZNYCH wolno manifestować
spontanicznie !

nie może rozpocząć się bez Pani

Wejście na SALON byłoby
dobrą strategią

Początek przesłuchań Warszawa, siedziba Prezesa A I . Wojsk

26 lipca 2008 0 .15: 00

Polskiego 17

Zaproszenie, na które NIE MOGŁAM NIE ODPOWIEDZIEĆ!

Zaczyna się pasowanie na fana.

O, proszę! Całowanie w pierścień.

*Dziewczyny zachwycająco śpiewają pieśni,
które właściwie powinno się wydać w oddzielnej edycji.*

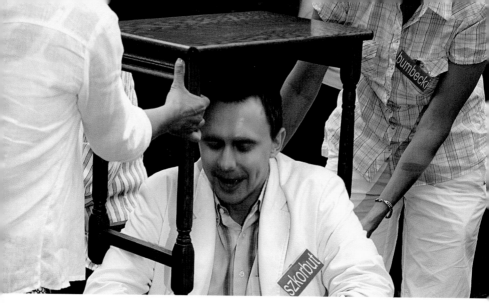

Odszczekują pod stołem, że Henio nie jest bydlę i świnia. Nie jestem pewna,
czy ktokolwiek jeszcze pamięta o Heniu, ale rzecz poszła z „Lesia".
Niektórzy dodatkowo wyli. Zaznaczam, że dobrowolnie.

Oto Szkorbut. Podpisany. Osobiście jestem z niego dumna.
W chwili pożegnania po przyjęciu.

Mała część zachwycającego grona fanów (a któremu autorowi by się nie podobał.
Po prawej ręce autorki Małgosia, zmartwiona niepotrzebnie zjedzonym obiadem

Nieco większe grono fanów, uparcie zachwycających.

I proszę! Pierwszy z lewej fan najmłodszy.
Nie protestuje i może mu te wirusy zostaną...?

Po dziesięciu godzinach nieprzerwanej pracy
– żadne dziwo trzydzieści lat temu –
zażądałam, żeby mi zrobiono zdjęcie,
na którym będę wyglądać na osiemnaście lat,
ponieważ w pełni na to zasługuję.
Robert i Witek złpali akurat mój atak kichania.
Oto rezultat.

Papierosy palę, rozmaitych nagannych rozrywek zażywam, ale takiego świństwa jak narkotyki najdłuższym drągiem bym nie dotknęła i ten stosunek do produktu tkwi we mnie całe życie. Zaraziłam nim nawet moje dzieci i wnuczki, całe szczęście. Na dobrą sprawę nigdy tych narkomanów zrozumieć nie mogłam, co oni w tym widzą? Majaczy im się we łbie, wizje jakieś latają, światy nadziemskie czy inne błogości, seksualne może, cholera ich wie, na upartego urżnąć się można uczciwą wódką i też będzie fajnie, na cholerę im te trucizny? Nie do pojęcia.

No i właśnie przy okazji starań o własne śmiertelne zejście coś niecoś pojęłam. W każdym razie ci narkomani to są zwyczajne debile, bezdenne matoły, kompletnie pozbawione wyobraźni.

Otóż podobno, osobistych wspomnień nie mam, bo jakoś rzeczywistość znikła mi z oczu, po rozpaczliwym telefonie do Małgosi około wpół do drugiej w nocy, treści wygłoszonego komunikatu też nie znam, przestałam reagować na rzeczywistość. Małgosia twierdzi, że usłyszała uroczo wyzipane słowa „ja już nie mogę", możliwe. Drobne strzępy pamiętam, znalazły się w moim domu jakieś osoby w czerwonym odzieniu i coś musiało się dziać, ale nie wiem co. Podobno usiłowano doprowadzić mnie do przytomności i ludzkiego stanu, bezskutecznie, zdawało mi się, że gdzieś jechałam. W pozycji leżącej i nawet dość wygodnie mi było. W tym właśnie momencie chyba zaczęły ku mnie lecieć od strony nóg przepiękne, kolorowe, świecące smugi, na które z pewnością patrzyłam z wielkim zainteresowaniem, po czym smugi przekształciły się w cudowne, lśniące kwadraty w kolorze niebieskim o odcieniu pervenche, też leciały wesolutko, rosnąc po drodze, i robiło to takie wrażenie, jakby produkowała je Małgosia, która chwilami majaczyła mi gdzieś na początku zjawiska. Jest dla mnie absolutnie pewnie, że chciwie i zachłannie spytałam:

– Małgosiu, jak ty to robisz?

Małgosia stanowczo twierdzi, że nic podobnego, żadnych takich idiotycznych pytań nie zadawałam, ale ja wiem swoje. Po czym oprzytomniałam i okazało się, że leżę w szpitalu na intensywnej terapii, o czym zresztą również dowiedziałam się od Małgosi. Podobno zapytałam ją, gdzie jestem, oznajmiła, że w szpitalu. Natychmiast zażądałam kategorycznie, podobnie jak Teresa, żeby mnie z tego szpitala zabrać i odwieźć z powrotem do domu, którego to życzenia jednakże nie uwzględniono. Absolutnie nic z tego nie pamiętam.

Zachwycające kwadraty znikły bezpowrotnie, ale nareszcie zrozumiałam narkomanów i te ich okrzyczane wizje. Otóż z pewnością widują takie właśnie kolorowe, świecące smugi i tak im się to podoba, że koniecznie chcą więcej, tępadła i tumany szczytowej klasy, tak jakby nie potrafili sobie tego przypomnieć i wyobrazić bez żadnej trucicielskiej pomocy. Leniwe jołopy. Siedząc przy komputerze i patrząc na patyki po skurtyzowanym jaśminie, w każdej chwili mogę w całej okazałości ujrzeć owe prześliczne i ruchliwe dekoracje w barwach dowolnych i przyjrzeć się im z czułością, nie przerywając uczciwej pracy z napojem wyskokowym w postaci herbaty.

A jeśli te głąby nawet takiego śladu wyobraźni nie posiadają, po pierwsze, nie zasługują na nic, a po drugie, niech jadą do Las Vegas. Tam też takie lata na wszystkich poziomach i we wszystkie strony aż w oczach miga. Las Vegas nie jest trujące.

Zważywszy, iż w tym szpitalu znalazłam się w nocy z soboty na niedzielę, w poniedziałek usiłowano mnie przenieść na jakiś normalny oddział, bo na intensywną terapię byłam już zbyt zdrowa. O, żadne takie, nie ze mną te numery. Na moje kategoryczne życzenie podejrzliwie i nieufnie wypuszczono mnie do domu, co okazało się czynem w najwyższym stopniu słusznym i racjonalnym. Kto tu pyskuje na Służbę Zdrowia? Być może, mam do niej ślepy fart, ale wróciłam do siebie w charakterze skowronka na nieboskłonie i całego stada pierwiosnków. W dalsze perypetie i delikatne próby popełniania drobniutkich błędów nie będziemy się już wdawać, bo, jak zwykle, wtrąciła się moja dusza, która, znów jak zwykle, miała rację i błędy skorygowała.

Na marginesie, lodowatym tonem zwracam uwagę, że znalazłam się w szpitalu nie jako święta krowa Chmielewska, tylko zwyczajnie, jako ja, normalna starsza pani na emeryturze. Tonem nieporównanie ognistszym powtarzam opinię Małgosi, mnie niestety niedostępną, że tak cudownego lekarza jak ten z pogotowia nie spotkała dotychczas nigdy w życiu i nie jest to żaden lekarz, tylko bóstwo pod każdym względem, któremu niegodni jesteśmy wszyscy butów czyścić i słomianki pod drzwiami przecierać. Pojęcia nie mam, jak się nazywał, ale gdybym chociaż raz w życiu mogła dla niego upiec kurczaka z nadzieniem...!

Jestem optymistką. A może, kiedyś...? Niekoniecznie w stanie wizji w niebieskim kolorze.

Zaraz, chwileczkę. Ostatnio dowiedziałam się od Małgosi, że jednak tą Chmielewską wymachiwała. Przerażona śmiertelnie, rozpaczliwie zagroziła komuś ze służby medycznej, że jeśli nie utrzyma mnie przy życiu, sam zostanie zlinczowany przez czytelników. Możliwe, w stanie paniki człowiek jest zdolny do wszystkiego. Nie wiem, w jakim stopniu się przestraszył, ale z życiem, jak widać, uszłam.

☆ ☆ ☆

Oczywiście musi mi wskoczyć dygresyjka.

Czy ja naprawdę nie napisałam nigdzie o hotelu w Szczecinie? Przyśniło mi się ostatnio, że cały tekst na ten temat czytałam we własnej książce, pojęcia nie mam, w której, bo kiedy chciałam sprawdzić, spoglądając na tytuł, akurat się obudziłam. Zmąciło mnie to do reszty, szczególnie że Martusia, która moją twórczość pamięta znacznie lepiej niż ja, twierdzi, że nie, nie pisałam, słyszała tylko o tym ode mnie niejako nausznie. Opowiadałam i tyle. Trudno mi w to uwierzyć, ale niech będzie. Najwyżej się powtórzę, kto czytał, niech przeleci.

Dokonałam wtedy czynu, prawie godnego Małgosi w sklepie przy piwie dla ślimaków i bitej śmietanie dla kota. Dawno to było, nie miałam jeszcze dostatecznego doświadczenia, ale taksówki już mi chodziły po głowie.

Jak kilkakrotnie napomykałam, jeśli człowiek się śpieszy albo po prostu jest zmęczony po długiej jeździe, zamiast w obcym mieście z wysiłkiem szukać pożądanego adresu, łapie taksówkę i angażuje ją w charakterze pilota. W takim, na przykład, Celle, niech spróbuje znaleźć wyjazd na Lachendorf, musiałby mieć jasnowidzenie, względnie objaw innej nadprzyrodzonej cechy. Po długich i bezowocnych wysiłkach znalazłam postój taksówek, wyjaśniłam co trzeba.

– A, tak – rzekł taksówkarz ze zrozumieniem. – Rzeczywiście, na Lachendorf nie ma żadnej informacji. Ale to niedaleko, dopilotuję panią do drogowskazu i potem już będzie łatwo.

I rzeczywiście, jeśli zrozumiałam co on do mnie mówi, wszystko inne było łatwe, a drogowskaz owszem, pojawił się po jakichś dziesięciu kilometrach, przy szosie, której sama z siebie w życiu bym nie wybrała.

Do tego Szczecina, jestem pewna, że to był Szczecin, chociaż za skarby świata nie potrafię sobie przypomnieć skąd i dokąd jechałam, chyba wracałam do domu z którejś podróży, dobrnęłam już prawie w ciemnościach, schetana dokładnie i w ogóle jakoś znienacka. Gdybym przewidziała, że tam się znajdę, zrobiłabym rezerwację, chociaż diabli wiedzą, może w owym czasie, kilkanaście lat temu, podobny luksus był niemożliwy...? W dodatku hotele wtedy były oblężone...

Znalazłam postój taksówek, zatrzymałam się po drugiej stronie ulicy, wysiadłam, podeszłam. Kilku kierowców stało razem obok jednego samochodu.

– Bardzo panów przepraszam – powiedziałam grzecznie i nieco smętnie. – Czy mogą mi panowie pokazać najdroższy i najgorszy hotel w Szczecinie?

Panowie spojrzeli na mnie dziwnie i trochę ich jakby zamurowało, najwyraźniej w świecie niepewni, czy nie odwrócić się tyłem i udawać, że nie słyszą, albo uciec do samochodów, więc czym prędzej rozszerzyłam pytanie.

– Nie, ja nie zwariowałam, ale wiem doskonale, że wszystko zajęte, jest jeszcze okres turystyczny, więc nic dobrego i taniego nie znajdę. Tylko w najdroższym i najgorszym mam jakieś szanse. Gdzie jest taki?

Natychmiast zostałam doskonale zrozumiana.

– Stoi pani przed nim – poinformowali mnie życzliwie. – Jak się pani odwróci, to go pani zobaczy, ma go pani akurat za plecami.

No i okazało się, że dobrze zgadłam, miejsce było, pokój dostałam. Niby wszystko w porządku, pokój jak pokój, na oko nawet sympatyczny, ale jego najgorszość błyskawicznie wyszła na jaw. Głównie w łazience.

Wanna miała wysokość mniej więcej metra, lustro nad umywalką umieszczone zostało tak, że wspiąwszy się na palce mogłam obejrzeć czubek własnej głowy, a na półeczce pod nim było miejsce na szczotkę do zębów i nic więcej. Prysznic może i działał, nie zdołałam tego jednakże stwierdzić, bo do wyciągnięcia właściwego wichajstra niezbędne byłyby obcęgi. O, albo Mieszko! Mnie się nie udało.

Coś tam jeszcze było dziwnego, nie pamiętam, z oświetleniem czy z oknami, ale dałam sobie radę, do wanny się przedostałam, umyłam się własną gąbką pod kranem, a przy zmywaniu twarzy mleczkiem obejrzałam się w kafelkach na ścianie. Białe były i czyste, dawały całkiem niezłe odbicie, a na szczegółach mi nie zależało, nie wybierałam się na bal. Drogi był, owszem. Na szczęście nie pamiętam, jak się nazywał, więc nikt mnie chyba do sądu nie zaskarży, z pewnością nie był to Neptun, systematycznie przeze mnie wizytowany. W każdym razie na wymienione luksusy nigdy więcej się nie natknęłam.

Skoro jednak już jestem przy dygresjach do tyłu, wyraźnie widzę, że powinnam nadrobić pewne zaniedbania. Chociaż... może to nawet nie zaniedbania, pewnych rzeczy człowiek dowiaduje się z opóźnieniem, trudno zatem wymagać, żeby o nich wcześniej napisał.

Z lekkim zaskoczeniem uświadomiłam sobie, że Małgosia jest córką mojego szwagra Andrzeja, architekta, którego oczywiście wykorzystałam dość porządnie w autobiografii. Był postacią tak barwną, że wręcz musiałam. Pozostawienie go odłogiem stanowiłoby stratę niepowetowaną.

No i nagle jakoś wyszło na jaw, że dla mnie kumpel po fachu, a dla niej ojciec i wychodzi z tego potężna różnica. Jako ojciec, podobno Andrzej był okropny, no owszem, możliwe, chociaż mnie osobiście w życiu by to do głowy nie przyszło. Nie mam jednakże powodu nie wierzyć Małgosi, pomysły Andrzej miewał niezwykłe.

Wszystkich szataństw i dziwolągów nie pamiętam, ponadto część z nich opisałam, ale jedna scena, nie znana mi wcześniej, zdecydowanie się wyróżnia.

Z sześciorga wnuków moich teściów, w ich domu chowało się czworo. Nie bez przerwy, niekiedy, dłużej lub krócej, przez rozmaite okresy czasu, tylko moje w grę nie wchodziły, nie z jakiejś szczególnej niechęci, ale po prostu nie było powodu. Składały jedynie zwykłe wizyty ku szalonej radości teścia, bo żarły jak opętane głodomory, a teść nadzwyczajnie lubił widzieć apetyt u dzieci. O, tu mu rozrywki żaden z moich nie żałował!

Z tych czworga, bardziej w domu teściów ustabilizowanych, po Marysi i Józiu byli Jadzia i Michał, po Jadwidze i Andrzeju Małgosia i Joasia. Jadzia z nich najstarsza, Joasia najmłodsza, Małgosia i Michał jakoś w środku, z tym, że Małgosia o miesiąc starsza od Michała. Małgosia upiór, nie dziecko, Michał anielsko grzeczny i spokojny, do obrzydliwości posłuszny, ale poza tym normalny. No i kiedyś byli razem kąpani. Ze trzy lata mieli. Przedwojenna łazienka, przedwojenna wanna, zmieściłoby się w niej swobodnie sześcioro dzieci, a nie tylko dwoje. Dostali rybki, kaczuszki, nie wiem co jeszcze, zapewne mydełka, siedzieli w tej wodzie i przez chwilę w domu był spokój, a rodzina czymś tam zajęta.

Znienacka Andrzej wpadł na pomysł rozrywki. W pamięci Małgosi utkwiła scena straszliwa. W drzwiach pojawił się nagle potwór jakiś przerażający, morda wielka i nieziemsko okropna, niewątpliwie w barwach jaskrawych, z zębiskami dzikiego zwierza, z wyrapionymi gałami, z czerwonym pyskiem od ucha do ucha, szczegółów w kwestii kudłów nie znam, ale w łysinę powątpiewam, dorosłego człowieka mogła o zawał przyprawić, a co tu mówić o dzieciach. Może coś mylę, ale Małgosia twierdzi, że jej dech zaparło, dzięki czemu w pierwszej chwili zachowała bezruch i milczenie, Michał jednakże zareagował prawidłowo, wrzasnął przeraźliwie i schował się tam gdzie mógł, mianowicie pod wodę. Bulgot po nim został i bąbelki na wierzchu.

W chwilę potem Małgosia rozpoznała ojca i dech jej wrócił, ale Michał w ukryciu zaczął się rzetelnie topić. Małgosia krzyk podniosła, Andrzej się przeraził i czym prędzej jął siostrzeńca z topieli wydobywać, ale zapomniał o masce i nie przyszło mu do głowy, żeby ją zdjąć. Wywleczony na powierzchnię Michał oddech wprawdzie złapał, spojrzał, ujrzał się w szponach potwora i czym prędzej z wrzaskiem ponownie nurknął pod wodę. Walka chwilę potrwała, Małgosia już nic nie mówiła, bo przedstawienie zaczęło jej się bardzo podobać, na szczęście wpadła do łazienki Marysia, matka Michała, która zdarła dekorację z twarzy szwagra i wywlokła z wanny nie dotopione dziecko. Awanturę w jej wykonaniu mogę sobie z łatwością wyobrazić.

Nie to akurat wydarzenie Małgosia ma najbardziej ojcu za złe, inne elementy wchodzą w grę, nie byłam jednakże świadkiem gorszących scen, więc nie będę się w nie wdawać. No, poza jednym niezatartym wspomnieniem, owym spokojnym wieczorem w Grandzie, już wcześniej opisanym, kiedy to Andrzej na ciężkiej bani ratował mój honor. No i żartobliwym komunikatem o katastrofie pod Miechowem, gdzie akurat znajdował się mój mąż, ja zaś miałam grypę i masochistycznie słuchałam w radiu „Procesu" Kafki, o czym, rzecz jasna, Andrzej nie miał pojęcia. Uroczy zbieg okoliczności, przepraszał mnie za niego później przez dwa tygodnie.

Żeby nie było nieporozumień, bo głupie pomysły łatwo ludziom wpadają do głowy, wyjaśniam, że żadne przemoce fizyczne w rodzinie nie wchodziły w rachubę. Nikt nikogo nie lał, idiotyczne przypuszczenie.

W każdym razie obie z Małgosią stoimy niejako po dwóch różnych stronach barykady i opinie pozostały nam nieco odmienne. Aczkolwiek jestem w stanie jej uwierzyć...

Na własną zgubę Małgosia przed paroma laty doszła do wniosku, że właściwie dosyć ma tych sióstr i woli braci, i mając z tych braci Michała w Paryżu, Roberta w Kanadzie i tylko Jerzego w pobliżu, siłą rozpędu zagmatwała się w okropne przypadłości matki większości z nich.

Mianowicie w moje. Z przyległościami.

☆ ☆ ☆

No i niestety, życie ostatnio wykazało, że tak ulgowo nie przejdzie, przyległości wychodzą na prowadzenie. Znów się zaczęły paskudztwa. Nadeszła właściwa pora roku, popadał deszczyk i świńskim truchtem nadbiegły ślimaczki.

O apogeum mojego stosunku do nich postarały się same. Powtarzam któryś tam raz: lubię zwierzątka. Nienawidzę mordować żywych stworzeń. Zniechęcić, odpędzić, odsunąć, w ostateczności nawet utrudnić egzystencję na moim poniekąd łonie, a, to owszem, proszę bardzo, chociaż niekiedy z żalem. Ale nie mordować.

Ślimaki doprowadziły mnie do przemiany biologicznej, przestałam zaliczać się do gatunku homo, obojętne, sapiens czy przeciwnie.

Najpierw jednakże muszę wyjaśnić, że w moim ogrodzie pojawiła się nieodgadniona tajemnica i ten kawałek, jak sądzę, da się przeczytać bez obrzydzenia, ponieważ dotyczy roślin, na ogół mile widzianych. Mianowicie mieczyków, czyli gladiolusów.

Uwielbiam mieczyki i kotłowałam się z nimi przez całe lata, jeszcze na Okęciu, na rodzinnej działce. Mają, niestety, to do siebie, że w przeciwieństwie do tulipanów, lilii i rozmaitych host wymagają pracy i zabiegów dwa razy do roku, sadzić je trzeba na wiosnę, wykopywać na jesieni i przechowywać przez zimę w odpowiednich warunkach. Zimy w ziemi nie przetrzymują, albo marzną, albo gniją, sprawdziłam osobiście już przed laty, nie chcąc wyrzec się wielkich nadziei. W zimie życzą sobie mieć średni chłód, mało światła i sucho.

Pomijam oczywiście taką drobnostkę jak brak w owym czasie odpowiednich warunków, przez moją piwnicę przechodziły rury centralnego ogrzewania i o chłodzie nie było co marzyć, altanka na działce zaś była przewiewna i temperaturą nie różniła się od reszty świata. Dokopywała mi także ta podwójna coroczna robota, na którą nie miałam czasu, chociaż sił mi jeszcze owszem, starczało.

Ucieszyłam się bardzo, że wreszcie razem z ogródkiem posiadam garaż, gdzie panuje wszystko co trzeba, chłód jest, światła niewiele, wilgoci nie ma, miejsca wprawdzie też nie, ale jakoś tam jedno czy drugie pudło się upchnie. Wiosną nabyłam i posadziłam mieczyki, eksperymentalnie wybrawszy dla nich różne miejsca, bardziej i mniej słoneczne, bo w tak zwanym międzyczasie zdążyłam zapomnieć, co lubią. Nawet porządnie posadziłam, wedle wszelkich zasad i instrukcji.

Nie powiem, co wyrosło, bo na solidniejsze słowa na razie nie pora, z ust zaczną mi się siłą wyrywać dopiero nieco później. Takie to były mieczyki jak ja arcybiskup. Kojarzyły się mocno z kartoflami, wyrosłymi w piwnicy, nie wiem dlaczego, bo słońca w moim ogrodzie nie brakowało, podlewane były, a mimo to kwiaty zaledwie udawały, że w ogóle istnieją, i usychały jeszcze w pąkach, ani jeden nie zakwitł porządnie. Dałam im spokój i nawet nie próbowałam jesienią wygrzebywać ich z ziemi, bo może cebule były niedobre.

Chociaż nie, kłamię. Za pierwszym razem wygrzebałam, obejrzałam starannie, budziły same wątpliwości, nędzniej się prezentowały niż w chwili sadzenia. Kilka sztuk nawet wybrałam i posadziłam, bezskutecznie.

Następnego roku kupiłam nowe i wyszło jeszcze gorzej, trudno było wykryć, gdzie w ogóle zostały wetknięte. Podsypywałam ziemię ogrodniczą, zmieniłam lokalizację, bo może tamta im się nie podobała, na jesieni zmobilizowałam się ponownie, znów wygrzebałam cebule, obejrzałam, no, też nie wyglądały cudownie, ale jednak nie zdechły. Na sadzenie w każdym razie nie zasługiwały, wysypałam je byle gdzie, chyba w mój prywatny kompost, którego produkcja właśnie ruszała.

Poddałam się. Do diabła z mieczykami, nie chcą rosnąć, to nie, do wazonu kupię sobie na straganie, nie sadzę więcej. Tyle roślin pojawia się u mnie nie wiadomo skąd i dlaczego, najwyraźniej w świecie kwitną i szaleją dla własnej przyjemności, po cholerę mam z nimi walczyć? Niech rośnie co chce, bez moich starań i wysiłków istna dżungla się tworzy, na dobrą sprawę powinnam się raczej poświęcić przycinaniu i wyrzucaniu.

Mieczyków więcej nie tknęłam.

No i oto nagle od wiosny jęły wyrastać liczne szablaste liście i nawet zdążyłam się zdziwić, skąd tyle irysów i kosaćców rozmaitych gatunków, bo irysy jak wetknęłam, tak rosną, tylko w jednym miejscu, a kosaćce zostały potraktowane lekceważąco i rozczarowały mnie krótkością kwitnienia. Kolor nawet mają ładny, ale w wazonie trzymają się pół dnia i ani chwili dłużej, nie będę się z nimi obcyndalać.

Przyszła z ogrodu Małgosia.

– Słuchaj, kiedy ty sadziłaś mieczyki? – spytała podejrzliwie.

– Co najmniej trzy lata temu – odparłam z niechęcią. – A może cztery. I więcej nie sadzę, nie podoba im się u mnie, to nie, bez łaski.

– A nie sadziłaś przypadkiem razem z tulipanami?

– Odpada. Tulipany się sadzi na jesieni, a mieczyki na wiosnę. Wiosną, jak sama wiesz najlepiej, całkiem zdychałam i nie sadziłam niczego.

Małgosia porozważała sprawę z głębokim namysłem.

– Jesteś pewna?

– Czego?

– Że na wiosnę.

– Gwarantowane. Bo co?

– Bo ich tu pełno rośnie. Ja się nie znam na kwiatach, ale one już wypuszczają te takie z pąkami i jestem pewna, że to są mieczyki.

Nie uwierzyłam jej, poleciałam popatrzeć. Dotychczas, oblatując dom dookoła, głównie zajmowałam się jaśminem, zatroskana mocno jego rozszalałym nadmiarem. Już w poprzednim roku był przycinany ze skutkiem odwrotnym od upragnionego, teraz wyglądało na to, że dom pod nim w ogóle zniknie, właził w okna i zaczynał kłaść się na dachu, przejść nie pozwalał, trzeba się było wręcz przedzierać przez gąszcz. W obliczu takiego kataklizmu na drobiazgi nie zwracałam uwagi.

Teraz przyjrzałam się porządnie i nie uwierzyłam także własnym oczom.

Jaśmin już został skurtyzowany nieco wcześniej, brutalnie, dokładnie i bezlitośnie i nic nie zasłaniało innych widoków. W dwóch miejscach, z tych, które kiedyś troskliwie wybierałam mieczykom, rósł ich istny gąszcz. Na metr w górę powyrastały, pokazały pąki, na jednym ruszał nawet kwiat. Biały.

Poleciałam w drugie miejsce. Tam dla odmiany ruszał kwiat czerwony. Przyglądałyśmy się temu obie z Małgosią w osłupieniu, nie pojmując zjawiska. Kto, u diabła, posadził tu te mieczyki, bo że nie ja, to pewne!

Małgosia przysięgła, że ona też nie. Witek bez słowa popukał się w głowę. Podejrzenie padło na pana Ryszarda, ale pan Ryszard był tylko raz, kiedy to wszystko już zaczynało wyrastać, był króciutko i w mojej obecności posadził cztery różyczki, poza tym w ogóle leciały mu cztery budowy i nie miał sekundy czasu. Ludzie od ogrodnika owszem, byli dwa razy z przyrządami, których ja nawet unieść nie mogę, przycinali żywopłot, niweczyli jaśmin i pryskali na mszyce, ponadto działo się to w czasie dla sadzenia mieczyków nieodpowiednim. Też później, mowy nie ma.

Zaczęli wmawiać we mnie, że może to jednak ja, ale po pierwsze, czynili to bez przekonania, bo mój stan zdrowia dokopał wszystkim i nikt nie podejrzewał symulacji, po drugie, taka pijana na pewno ani razu nie byłam, bo już bym nie żyła, a po trzecie jestem wprawdzie patriotką, ale nie do tego stopnia, żeby sadzić kwiecie wyłącznie białe i czerwone. Biało-czerwoną mam flagę i starczy, mieczyki natomiast, kiedy jeszcze je optymistycznie sadziłam, wybierałam różowe, łososiowe, złociste, czerwone w rozmaitych odcieniach, żółte, przenigdy białe. Ani jednego białego, nie lecę na białe kwiaty, nie zależy mi, poza tym białe kwiatki zazwyczaj pojawiają się same nie wiadomo skąd i też wystarczy.

Kolejne podejrzenie padło na nornice. No owszem, nornice zdolne są do różnych niezwykłych czynów, potrafią przenosić z miejsca na miejsce cebulki tulipanów, które w dodatku, niedojedzone do końca, przetrzymują ów transport, rozmnażają się i kwitną, co stwierdziłam osobiście, być może udaje im się przenieść także lilie, czego już nie jestem pewna, ale w mieczyki nie uwierzę. Mowy nie ma. Inny rozmiar cebuli, inny kształt i niewątpliwie smak odmienny. O zeżeraniu przez nornice mieczyków w życiu nie słyszałam, co zapewne bierze się stąd, że te cebule nie zostają w ziemi trwale. Ponadto skąd by je wzięły, do licha, skoro u mnie białych nigdy nie było? Poszły do sklepu i kupiły?

Przypuszczenie, że sąsiedzi z trzech stron pozbywali się swoich mieczyków, wrzucając je do mojego ogrodu, upadło raczej dość szybko. Nie wiem, jaką celność musieliby osiągnąć, żeby ulokować je owymi rzutami w równiutkich rządkach i eleganckich kępach, rozleciałoby się to przecież wszędzie, i nie pozostało w porządnych skupiskach. I co, wyrzucali tylko białe i czerwone? Antypatrioci...? Nie, nic z tego.

Wybryk ochroniarza, który o świcie zakradł się do mojego ogrodu i posadził roślinki, wydał nam się mocno wątpliwy. Małgosia samą siebie posądziła o tak straszliwe pijaństwo, że dokonała dzieła bezwiednie, ale nikt, z nią włącznie, nie uwierzył, że udałoby się jej zrobić to tak porządnie, jeśli już, mieczyki powyrastałyby gdzie popadnie ze środkiem trawnika włącznie.

Poszłam specjalnie i policzyłam je. Rośnie ich przeszło sześćdziesiąt. Poza wszystkim, te cebule należało kupić, bo same z wizytami nie chodzą. Ale zdaje się, że zaczyna kwitnąć jeden żółty, co powoduje już dezorientację ostateczną. Tajemnica prawdopodobnie nigdy nie zostanie wyjaśniona, co nie przeszkadza, że mieczyki szaleją przesadnie, rosną zbyt wysokie i łatwo się łamią. Każdy wiatr kładzie je na ziemi. Nie marzyłam i nie marzę o spacerach po dywanie z kwiecia, ucinam je zatem i wtykam do wazonu, no i tu zaczyna się zmiana tematu.

Z wielkim żalem zmuszona jestem wrócić do paskudztwa i całkowitego upadku własnego człowieczeństwa.

Z fotela w salonie miałam doskonały widok na ową gęstą kępę po drugiej stronie ogrodu, gdzie tkwiły głównie czerwone. Uświadomiłam sobie nagle, że wczoraj kwitły już dwa, a dzisiaj widzę tylko jeden, do licha, pewnie znów się złamał, był wiatr, szkoda go, żadna przyjemność, jeśli leży pod żywopłotem. Złapałam sekator i poleciałam go uciąć.

Leżał, dlaczego nie. Nadłamany mniej więcej w połowie i pięknie kwitnący. Od razu wiedziałam, że nie koty, nie rósł luzem, otoczony był wysokimi trawami, koty łamią inaczej, co innego i nie w takiej ciasnocie, wiatr mi też nie pasował. Nie wnikając na razie w osobę sprawcy, ucięłam go i z zaskoczenia od razu mi ręka opadła. Ważył co najmniej ze trzy czwarte kilo, a może i więcej.

Oko mi w słup stanęło i w tym właśnie ułamku sekundy dokonała się zmiana mojej osobowości.

W każdym, ale to absolutnie każdym przepięknie rozkwitłym kwiatku siedziała olbrzymia, tłusta, czarna maciora, król życia, ohyda śmiertelna, ślimak! W niektórych dwa. W szczegółowy opis nie będę się wdawać, bo na samo wizualne wspomnienie niedobrze mi się robi. Do policzenia ich na sztuki nie byłam zdolna.

Ostrożniutko, delikatnie, powoli i mściwie przeniosłam całość do stolika na tarasie, gdzie spoczywała reklamówka z właściwą zawartością. Nie próbowałam nawet strząsnąć do niej samych żyjątek, ucięłam po prostu wypchane świństwem kwiaty, pozostawiając tylko te w pąkach, jeszcze klęską nietknięte. Może i trochę mało było tam soli, ale nie dosypywałam chwilowo, krótką łodygę z pąkami wetknęłam do wazonu i zajęłam się utrwalaniem w sobie cech nieludzkich.

Zaraz następnego dnia od kanadyjskich dzieci uzyskałam informację o nowej metodzie, bardzo strasznej i może nawet gorszącej, odkrytej podobno przez Niemców, którzy zyskali sobie tym moją dozgonną wdzięczność. Jak już wspominałam, urodzaj na ślimaki szaleje w całej Europie i wszystkie kraje rozpaczliwie szukają dróg wyjścia. Piwo, fajnie, sól wykryłam samodzielnie, teraz coś nowego!

Należy jednym kopem pozbierać świństwo w całym ogrodzie, najlepiej po deszczu, wrzucić do wielkiego gara bez żadnych przypraw, czyściutkie, i natychmiast zalać wrzątkiem. Coś tak, jak przepis kucharski sprzed pierwszej wojny światowej, „żywe raki lubieją być wrzucane do wrzącej wody". Przykryć, odczekać trzy dni, po czym płynną zawartością podlać cały ogród, grządki, klomby, rabaty, na ile starczy. Stąd brak przypraw, nie podlewa się roślin solą, octem i pieprzem.

Podobno osobnikom żywym właściwego gatunku ten rodzaj wilgoci bardzo się nie podoba i rezygnują ze składania wizyt na niesympatycznym terenie. Przestają pchać się człowiekowi do ogrodu i idą gdzie indziej. A proszę bardzo, jak dla mnie niech idą gdzie im się podoba, niech zdobywają himalajskie szczyty, nie moja rzecz, nie mam sumienia, nie mam litości, nie mam w ogóle żadnych uczuć, mam wyłącznie nadzieję, że okaże się to skuteczne. Poza tym cholera wie, może one też, tak jak te raki, lubieją być wrzucane na wrzącą wodę? Ostatecznie, każdy ma swój gust.

Kłopot w tym, że, jak nam wyszło, do akcji potrzebne są co najmniej trzy osoby. Dwie w okropnym pośpiechu zbierają i pchają do sagana, trzecia stoi obok sagana i pilnuje, żeby zawartość nie wyłaziła z powrotem lotem strzały. Przydatna byłaby jeszcze czwarta osoba, stojąca nad garem wrzątku i trzęsąca się z niecierpliwości, żeby w odpowiedniej chwili to wylać.

Jak na razie posiadam garnek, niestety mały, z zawartością, która dojrzeje do użytku jutro. Zważywszy, iż piszę na bieżąco, zdążę zapewne ujawnić rezultaty.

Owszem, zdążam.

Koniec trzech dni wypadł w czwartek. Zdaje się, że był to w ogóle niefartowny tydzień, licząc od poniedziałku i wszystko jakoś szło jak z kamienia, przy czym tego wszystkiego narobiło się wyjątkowo dużo.

W środę Małgosia ostrzygła cały trawnik, śpiesząc się jak do pożaru, żeby zdążyć przed deszczem. Udało jej się, lunęło, kiedy już odświeżała się po pracy, uchetana dokładnie, ale za to z pewnością wyzuta z kilku zbędnych kalorii. Potem przyszli goście, we wtorek zresztą też byli goście, którym nie dałam kompletnie nic do jedzenia...

A, właśnie! No trudno, przyznam się. Przez panią Henię i Małgosię zostałam nakłoniona do opróżnienia lodówki i zamrażalnika, nie żeby wszystko wyrzucić, tylko przeciwnie, zjeść. W związku z czym przez półtora tygodnia nie robiłam żadnych zakupów, systematycznie konsumując zapasy i akurat we wtorek udało mi się osiągnąć sukces. Nie było już nawet kawałka ryby dla kotów, ani odrobiny jogurtu, ostatnia garsteczka mięsa poszła z lekarstwem dla Berty i jedyne, co ocalało, to trochę zamrożonych pierogów.

Ugotowałam te pierogi chyba w poniedziałek, zjadłam część i we wtorek postanowiłam zjeść ich resztę. Zajęta byłam uczciwą pracą i nie miałam czasu na głupstwa, więc nie wdawałam się w jakieś tam patelnie i odsmażanie, tylko postawiłam na palniku duży garnek z niewielką ilością wody, na garnku durszlak, w durszlaku pierogi, które powinny się ładnie odgrzać na parze, wszystko przykryłam szczelną przykrywką i poszłam sobie. W głębi duszy coś mi piknęło na temat przykręcenia palnika, ale byłam głodna i chciałam uzyskać pożywienie szybko, a, co tam, przykręcę za chwilę. Usiadłam przy komputerze. Jeden z pięciu zmysłów, potocznie zwany węchem, powiadomił mnie, że coś nie gra. Całożyciowe doświadczenia sprawiły, że ani przez ułamek sekundy nie musiałam zastanawiać się, co. Wiedziałam od razu. Nie leciałam, łamiąc ręce i nogi, udałam się do kuchni spokojnym krokiem i tyle zachowałam przytomności umysłu, że niczego nie dotknęłam gołą ręką, wszystko przez rękawice i ścierki. Prztyknęłam wentylacją, otworzyłam okno, zrobiłam przeciąg przez cały dom na durch, garnek natychmiast wetknęłam pod kran, co okazało się w pełni słuszne, bo jest to bardzo porządny garnek, przykrywce nic się nie stało, a durszlak i tak był stary.

Co mnie wprawiło w rzetelny podziw, to fakt, że te pierogi w durszlaku prawie się przypaliły. Nie tak całkiem na węgiel, prawie. Ostatnia warstwa, górna, to już był niemal rekord, przebijały je tylko te jajka na twardo, które zostawiłam kiedyś na ogniu na pięć i pół godziny.

Zjadłam je oczywiście. Nie jajka, pierogi. Wcale nie straciły smaku, całkiem niezłe były, a już z pewnością bez żadnej tłustej okrasy, zatem zdrowotne chyba, nie?

O, nie wszystkie wydarzonka pamiętam, zbyt dużo ich było, ale razem składały się właśnie na niefartowność tygodnia.

Wy, którzy to czytacie, porzućcie wszelką nadzieję, wracam do paskudztwa.

W czwartek, przewidziany na spożytkowanie mikstury, najpierw kotłowałam się z kotem, do którego miał przyjść

weterynarz, i czyniłam dziwne sztuki, żeby nie wypuścić
z domu pacjentki, Berty, która bezbłędnie przeczuwa zabiegi lecznicze i przezornie schodzi z oczu na całą dobę,
później zaś sama musiałam poddać się zabiegom leczni-
czo-kosmetycznym, które mnie unieruchomiły na przeszło
godzinę. Na szczęście zdążyła już przyjechać Małgosia
i można było przystąpić do zabiegów ogrodniczych.
To Małgosia potraktowała produkt nieco, moim zdaniem, zbyt spożywczo. Wedle uzyskanych instrukcji podle-
wać należało samą wodą, bez, jak by tu... elementu stałego,
który chyba stwardniał, żadna z nas nie macała, ale takie
robił wrażenie. Uważałam, że trzeba zwyczajnie przecedzić
przez jakieś stare sitko, ale Małgosia wolała łyżkę durszla-
kową, wyjąć jak kluski, pyzy na przykład, bo przy wlewa-
niu do konewki przez lejek jedno takie wpadnie, nie daj
Boże, do wylotu lejka i zatka go na amen. Łyżka durszlako-
wa istniała, dlaczego nie, dawno już przeszła w grono
narzędzi ogrodniczych, nikt wszak nie będzie używał do
własnego pożywienia przyrządu po pożywieniu roślinnym,
nawet umywszy dziesięć razy, ale była zbyt płaska. No, ale
skoro ona się uparła...
Tymczasem przy próbach i rozważaniach błyskawicznie
wyszło na jaw najgorsze. Substancja mianowicie śmier-
działa.
Ale jak...!!!
Małgosia okręciła sobie twarz szalikiem, ścierką, czymś
tam jeszcze, ja spróbowałam nie oddychać wcale, względnie oddychać w inną stronę, co okazało się dosyć trudne.
Pani Henia przytomnie zajęła się z szaloną gorliwością
najdalszym zakątkiem domu. Konewkę i lejek miałyśmy
przygotowane, miejsce akcji na trawniku, gdzie żyjątka pojawiały się często, kran i szlauch pod ręką. Małgosia kilkakrotnie wybiegała za bramę odetchnąć świeżym powie-
trzem, rzucając w przestrzeń rozmaite groźby karalne,
zgniewało mnie, to wygrzebywanie płaską łyżką durszlako-

wą mogło potrwać do sądnego dnia, kazałam jej trzymać lejek i odlałam resztę zawartości garnka mniej więcej tak, jak rozgotowane kartofle albo wodę po grzybach z piaskiem.

– Jeżeli nalejesz mi tego na rękę, odrąbię ją sobie! – zapowiedziała moja siostrzenica ze szczytową stanowczością.

Przypomniałam jej, że siekiera, łatwo dostępna, leży na tarasiku po przeciwnej stronie domu, ale nie nalałam. Rozrzedziłyśmy nieco ciecz, która wydawała się zbyt intensywna, poza tym było jej mało. Małgosia chwyciła konewkę i popędziła do upatrzonego miejsca między żywopłotem a klombem, popędziłam chwilę po niej, cudowna woń ciągnęła się smugą jakoś tak radośnie trwałą, a w ogóle zaczynał mżyć deszczyk. Z troską usiłowałam wyliczyć sobie szybko, który z moich sąsiadów jest pokrzywdzony zapachami i na którego kolej teraz, ale w tak dramatycznych okolicznościach sukcesu nie osiągnęłam.

Śmierdziało wszędzie dookoła, umyłam ręce gorącą wodą i mydłem, opsikałam Gwiazdami Paryża (przekład autoryzowany), wonie wymieszały się ze sobą, Gwiazdy Paryża w końcu wyszły z tego zwycięsko i Małgosia zdjęła oprzyrządowanie z twarzy. I natychmiast pojawił się następny problem.

– Wszystko świetnie – powiedziała ostrzegawczo. – Teraz miałyśmy zwykły garnek. A co będzie, jak zrobimy cały kocioł? Ten wielki sagan, który stoi za domem? Kto to będzie przelewał?

Natychmiast wymyśliłam bezrobotnego alkoholika z przytępionym powonieniem, potem straż pożarną, która posiada ochronne kombinezony i maski gazowe na twarzach, wreszcie pomocnicze służby medyczne, które zbierają z ulic i rozmaitych ugorów podstarzałe zwłoki. Małgosia wyraziła powątpiewanie, czy jakiekolwiek zwłoki mogłyby swoim urokiem dorównać naszej produkcji ślimaczej, ale zapewniłam ją, że tak. Nie wąchałam tych zwłok wprawdzie osobiście, ale dość dużo na ten temat czytałam i wyjątkowo uwierzyłam w słowo pisane. Przyjechał Witek i nikłe już resztki aromatu ocenił znacznie wyżej niż zbuki z zeszłego roku. Znaczy, nie bardzo świeże jajka, jeśli ktoś nie wie, co to jest zbuk. Nadal nie jesteśmy pewne, kogo w razie czego wzywać. W dodatku pod wieczór lunął deszcz i teraz do reszty już nie wiemy, jak stwierdzić rezultaty. Jeśli bezlitosna i nieludzka działalność okaże się skuteczna, warto myśleć twórczo, jeśli nie...

Z rozpędu posunęłam się dalej w eksperymentach.

Mimo zasiedlenia w sobie cech zbrodniczych wciąż nie lubię rozdeptywać żywych stworzeń i uparcie te ślimaki w skorupkach wyrzucam na ulicę. Przyszło mi nagle do głowy, że ani razu nie oglądałam skutków eksmisji, a kto wie, co one potem robią? Czekają spokojnie na przejechanie czy też ruszają w drogę, a jeśli tak, to w którą stronę? Do domów naprzeciwko czy do mnie z powrotem? O, nie, żadne takie, to mnie bardzo interesuje, bo nie mam chęci uprawiać syzyfowej pracy.

Zaraz po rozlaniu ślimakowej zupki, już z Gwiazdami Paryża na rękach, przechodząc na drugą stronę domu, natknęłam się na dwie sztuki nieźle wyrośnięte, podniosłam je i pirzgnęłam za bramę. Przyjrzałam się porządnie, zapamiętując gdzie upadły i przy okazji stwierdziłam, że na jezdni poniewiera się i trzeci, może wyrzuciłam go wcześniej, a może uczyniła to Małgosia, którą mój eksperyment również zainteresował. Czas jakiś postałyśmy przy bramie, czekając, co będzie.

Nic nie było. Żaden samochód akurat nie przejeżdżał, a ślimaki ani drgnęły. Zniecierpliwiłam się.

– Długo mam tu tak stać i czekać? – rzekłam z pretensją.

– Jakbyś tak wyleciała z trzeciego piętra, to też byś się od razu nie zerwała – zwróciła mi uwagę Małgosia. –

Muszą chyba najpierw oprzytomnieć i odzyskać równowagę.

– Myślisz, że dla nich to było trzecie piętro...?

– W każdym razie jak będę odjeżdżała, jednego mogę przejechać.

– Bardzo dobrze, przejedź.

Porzuciłyśmy posterunek, po paru minutach wróciłam do bramy popatrzeć. Nic, żadnej różnicy. Małgosia twierdziła, że jeden się zabił przy upadku, nie uwierzyłam jej. Po półgodzinie popatrzyłam ponownie z takim samym rezultatem. Małgosia odjechała w końcu, wioząc ze sobą, jak twierdziła, trupią woń, ale o podglądaniu ślimaków w rezultacie zapomniałam i do tej pory nie znam ich dalszych poczynań.

Jako wiadomość z ostatniej chwili wystąpił komunikat o miedzianej siateczce, również nadesłany z Kanady. Podobno taka siateczka, niezbyt szeroka, taka na osiem centymetrów, może być dziesięć, rozłożona płasko na ziemi, stanowi dla ślimaków przeszkodę nie do przebycia.

O, żaden prąd! Niech nikomu taki upiorny pomysł przypadkiem nie wpadnie do głowy, gdyby u mnie miał gdzieś latać prąd elektryczny, choćby najsłabszy, uciekłabym z własnego ogrodu i z własnego domu, wyłącznie miedź bez żadnych straszących dodatków, podobno bowiem wierzchnia konsystencja ślimaka popada w fizjologiczny konflikt z miedzią i one mają dość rozumu, żeby takie miejsca omijać. Dla człowieka miedź bywa zdrowotna, możliwe zatem, że dla jednostki odmiennego gatunku bywa szkodliwa, kto wie? Małgosię w każdym razie pomysł zainteresował ogromnie, stworzył wielkie nadzieje na uniknięcie produkcji i rozlewania ślimakowej zupy.

Koty mają takie rzeczy w nosie. Kot przeskoczy. Ślimak nie.

Widziałam już jeża, który wdrapał się na skrzynkę po winie, wysokość dla niego co najmniej jak pierwsze piętro dla człowieka, a jednak wlazł i siedział zadowolony pożywiając się spokojnie, ale skaczącego ślimaka nie widziałam jeszcze nigdy w życiu. Na razie zastanawiamy się, gdzie takie draństwo dostać, w OBI? Na Bartyckiej...? Miedź w tym kraju istnieje, wiem na pewno, sama wydłubywałam druciki ze starych przewodów, na własne oczy oglądałam kopalnię miedzi i mam nadzieję, że uda się ów produkt kupić. Bo jeśli moje dzieci będą wiozły siateczkę z Kanady, gwarantowane, że złapią ich jako terrorystów. A co do tych na jezdni, to znów zapomniałam spojrzeć we właściwej chwili, dokąd poszedł kolejny wyrzucony. Nie zabił się z całą pewnością, nawet przytomność zachował, tylko jakoś długo nie podejmował decyzji, a w dodatku nic go nie przejechało. Gdzie to bydlę polazło...?

Ilość tekstu na tematy obrzydliwe wyraźnie świadczy, w jakim stopniu to całe okropieństwo zatruwa mi życie. Może już lepszy będzie

POTWÓR.

Wygląda na to, że powrót do kwestii młodego potwora wszystkim przysporzy ulgi. Bez żadnego megalomaństwa mogę chyba stwierdzić, że niezależnie od cech osobowości naprawdę wyglądałam mniej wstrętnie niż te cholerne ślimaki. A już z pewnością mniej śmierdziałam!

Dopiero teraz widzę, ile własnych błędów i wypaczeń udało mi się w tej całej autobiografii zręcznie ominąć. I nawet nie jestem pewna, czy uczyniłam to świadomie, bo wcale nie wzniosłe opisy własnego charakteru miałam w planach, tylko zwyczajne zaspokojenie ludzkiej ciekawości. Odpowiedzi na te wszystkie pytania o pomysły, ludzi, prawdziwość wydarzeń i tym podobne, poza tym wiódł mnie niepokój o pośmiertny komunikat, co autor myślał. Jak się okazuje, to ostatnie jest w ogóle beznadziejne, bo przerażony autor już za życia z wielkim zdumieniem dowiaduje się, co myślał i zaczyna wątpić, czy kiedykolwiek w swojej egzystencji był trzeźwy. Słowo daję, osobiście sądziłam, że dość często, ale możliwe, że się myliłam.

No, ale teraz przepadło. I od razu się przyznam, że znów Alicja. Pisząc o niej i o tym jej wyjeździe na zawsze do szwajcarskiego sanatorium, chcąc nie chcąc i nawet z nerwowymi wzdrygami, przypomniałam sobie siebie samą i trochę mi się niedobrze zrobiło.

A cóż za upiorna, bezmyślna dziopa! Znaczy ja. Młody w owym czasie potwór.

I cóż za przyjaciół miałam! Jakież szlachetne, taktowne, nadziemsko cierpliwe istoty! Jakim cudem oni ze mną w ogóle wytrzymywali?

W pamięci wystrzeliła mi jedna dziedzina, to na razie, możliwe, że przypomni mi się więcej, chociaż bez trudu odgaduję, że instynkt samozachowawczy kazał mi te wspomnienia udeptać, ugnieść i schować w najgłębszym zakamarku czegoś tam, zapewne umysłu, ale może także duszy, która z wielkim wysiłkiem dba o zdrowie psychiczne własne i swojej właścicielki. Wie co robi.

Przyznam się, chociaż przechodzi mi to przez gardło jak surowe kartofle w odwrotną stronę albo chudy biały ser i jajka na twardo bez popchnięcia niczym. Zatkać się można na radykalnie.

Jako jednostka przez zbyt długi czas młoda i pełna wściekłego wigoru prowadziłam tryb życia możliwe, że nadmiernie aktywny. Samą prawdę wyjawiłam w czasie rozprawy rozwodowej, twierdząc, iż po całym dniu pracy mój mąż chciał iść spać, ja zaś wręcz przeciwnie, spragniona byłam dalszych rozrywek. No, pół prawdy, jak on był po całym dniu pracy, to ja jestem królowa Izabella Hiszpańska, jedna trzecia jego dnia pracy polegała na grze w brydża, ale tego zbytnio nie eksponowałam, bo do brydża miałam ogólnie stosunek pozytywny, reszta jednakże się zgadzała. Pierwsza w nocy to była dla mnie młoda godzina, te wschody słońca od tyłu i tak dalej...

I nic mi do głowy nie przychodziło. Zgroza ogarnia. Bywałam z wizytą u przyjaciół. Raczej bywałam z wizytą, niż zapraszałam ich do siebie i tu się nie czepiam, naprawdę głupio mi było skłaniać ludzi do latania po schodach na trzecie (wysokie!) piętro bez windy, nie wiem czy cokolwiek myślałam, odruch jakiś zapewne, nie rób drugiemu, co tobie niemiło, dla mnie schody zawsze stanowiły katorgę i ciągle za nie przepraszałam, ponadto u mnie były dzieci, nie pałac w końcu, mieszkanie niby duże, ale tylko porównawczo. Dzieci, co tu ukrywać, przeszkadzają w spotkaniach towarzyskich, nawet wytresowane.

Jedyną osobą, właściwą dla wizyt u mnie, zawsze była Lilka. Też przeprosiłam ją za schody, kiedy przyjechała z Cieszyna. Popatrzyła na mnie wzrokiem, jak na nią, wyjątkowo tępym.

– Jakie schody? – spytała ze zdumieniem.

Jak Boga kocham, nie zauważyła ich! Zrozumiałam od razu, ja też po powrocie od niej prawie nie dostrzegałam drugiego piętra mojej matki, z tym, że niestety krótko, rychło mi wracało. Ale ona ma to w sobie zakodowane trwale.

No nic, dość, że ja bywałam z wizytą. Widać, że krążę koło tematu jak koło śmierdzącego jajka, ale już wejdę, trudno.

Nawet nie wiem, czy bywałam zaproszona, raczej podejrzewam, że sama się zapraszałam na zasadzie „wpadnę do was, można?". Wszyscy byli upiornie kulturalni, wyrażali wręcz entuzjazm, niuansów entuzjazmu nie dostrzegałam. Wpadałam.

Słowo daję, jeszcze teraz coś mi się robi, bo wciąż mam pamięć wzrokową. Ileż ja się nad nimi naznęcałam, ludzkie słowo nie opisze. Wszystko to byli normalni ludzie, pracujący, a wcale nie wybierałam żadnych sobót, kiedy nazajutrz jest niedziela i nie idzie się do pracy, nawet cień myśli o ich obowiązkach nie zaświtał mi nigdzie, to byli moi ukochani przyjaciele, do których miałam zaufanie, którym mogłam się zwierzyć, poradzić się ich, potrzebni mi byli straszliwie, okazywali mi zrozumienie, sympatię, życzliwość najgłębszą, możliwe nawet, że mnie lubili z potwornym wysiłkiem.

Siedziałam u nich do uśmiechniętej śmierci i gadałam o sobie, o swoich sprawach, swoich problemach, zmartwieniach, wahaniach i wątpliwościach, a do tego jeszcze domagałam się od nich opinii, rady i pociechy. Dobrze chociaż, że ich nie obżerałam, bo na jedzeniu nigdy mi nie zależało. Herbatę piłam i tyle. Bez cukru.

I co tu ukrywać, przychodziło mi wreszcie coś do głowy, kiedy w okolicy trzeciej w nocy widać było jak na dłoni, że nie są już w stanie trzymać oczu otwartych. Udawało mi się w końcu przecknąć z własnego, egoistycznego i egocentrycznego szału, dostrzec sytuację i pożegnać się, nie wiem czy z większym moim żalem, czy ku ich większej uldze.

Chora krowa. Młody potwór.

Słusznie spotkała mnie kara boska wtedy, kiedy ta pani z telewizji ugrzęzła w błocie przed moim domem, a Martusia zleciała ze schodów. Uważam, że bardzo łagodna kara.

Nie było przyjaciół i dobrych znajomych, którzy nie odcierpieliby na sobie mojej bezmyślności, bo świadomego świństwa nie stosowałam z pewnością. Ale aktywność charakteru, idiotyczne zdrowie, które wciąż jeszcze się po mnie kołacze, tfu, na psa urok, żeby nie wymówić w złą godzinę, nadmiar sił, egoizm genetyczny, nie mylić z egocentryzmem, wściekle emocjonalny stosunek do wszystkiego, nieopanowana niecierpliwość, co tu ukrywać, też po rodzinie, sensowna nawet skłonność do wyrzucania z siebie trucizny w postaci stresów, wszystko to razem powodowało, że naprawdę byłam istnym potworem. I nie pojmuję, jakim cudem ktokolwiek jeszcze ze mną wytrzymywał, ale to może dzięki temu, że miałam za mało czasu na częstsze wizyty.

Rezultat jest okropny. Nie ośmielam się zaprosić do siebie z drobnym bodaj naciskiem zmaltretowanych przed laty przyjaciół, chociaż kompletnie nie mam schodów. Próbowałam nieśmiało, najważniejsi odmówili. Wolę nie wnikać w przyczyny.

Między nami mówiąc, na ich miejscu sama siebie unikałabym jak ognia.

I nie dość na tym, żeby tylko...!

Nie, zaraz, spokojnie. Ja już raczej do kogoś nie pójdę. Świat składa się ze schodów. I co ja, nieszczęsna, mogę na to poradzić, że każde pięć schodków, wiodących na parter, dla mnie przeistacza się w straszną górę? Nie fizycznie, cóż znowu, nie padnę trupem na tych pięciu schodkach, ale psychicznie...

No dobrze już, dobrze. Zboczę nieco z tematu i może będzie to nawet pouczające.

Jeszcze w poprzednim mieszkaniu, na tych cholernych trzech piętrach, przytrafiło mi się zamyślić. Zdarza mi się myśleć w rozmaitych okolicznościach, dziwne, ale prawdziwe. Zważywszy okres czasu, zapewne układał mi się jakiś tekst, który przebił się przez świat realny i spowodował, że nie zauważyłam, gdzie jestem i co robię. I nagle złapałam się na tym, że jestem w połowie schodów na strych i nie dostrzegłam przebycia trzech pięter.

Uprzejmie komunikuję, iż taki wypadek nastąpił jeden raz.

Wróciłam na dół, weszłam do mieszkania i potraktowałam zjawisko poważnie. Z wielką nieprzyjemnością doszłam do wniosku, że po wszystkich doświadczeniach najzupełniej prawdziwych, nie wyimaginowanych, zagnieździłam w sobie nienawiść do schodów, oraz wszelkich wzniesień i pagórków. Owszem, szkodzą mi, sprawiają dolegliwości, męczą wściekle, duszą, ale bez przesady, nie wszystkie, nie zawsze i więcej w tym niemiłych odczuć niż szkodliwości zdrowotnej. No, zależy kiedy, ale to druga sprawa. Fakt, iż sam widok schodów powoduje we mnie chęć własnego śmiertelnego zejścia albo dziką nienawiść do osoby, która mnie na coś podobnego naraziła, jest w połowie natury psychicznej.

O, bez optymizmu w tym miejscu! Najwyżej w połowie, a może nawet trochę mniej. W jednej trzeciej.

Praktyczne zastosowanie odkrycia polegało na tym, że z całej siły starałam się, wracając do domu, zacząć myśleć o czymkolwiek innym, w miarę możności interesującym. Naprawdę starałam się bardzo i udawało mi się to przeciętnie raz na dziesięć razy, ale nie wyżej niż do drugiego piętra. Też dobrze. Możliwe, że przez zakupy, w końcu niekiedy trzeba je było robić, wnosiłam torby kawałkami, dzięki czemu przebywałam tę drogę dwa razy, wnieść jedno na pięć stopni, wrócić po drugie... Normalny człowiek nie zrozumie.

O, zawracanie głowy! Jednemu szkodzi cebula, drugiemu śmietana, a moja synowa jest uczulona na grzyby. Każdy ma swoje zgryzoty.

W każdym razie zaczęłam myśleć.

Był to akurat nad wyraz uciążliwy okres w mojej egzystencji, kiedy zbiegło mi się na kupę mnóstwo problemów, w tym wątpliwość, czy w ogóle jestem normalna. Źródłem wątpliwości był, rzecz jasna, Marek, trzeci kolejny mężczyzna mojego życia, który wtedy chyba akurat zaczął wątpić, czy da się mnie ukształtować wedle jego poglądów estetycznych...? Życiowych...? Światopoglądowych... Twórczych...? Pedagogicznych...? Jak Boga kocham, nie wiem jakich, ale powinnam być taka jak należy, a nie całkiem taka, jaka jestem.

Prawie od początku lęgło się we mnie wrażenie, że znalazł raz w życiu prześliczny korzeń, karcz, pieniek, nad wyraz atrakcyjny, który uparł się przystosować do własnych kryteriów i obciosać go tak, jak sam uważa za stosowne.

Za właściwe, upragnione i pożądane. Ja z kolei uparłam się, przyznaję, że głupio, uczłowieczyć go, a obciosywanie nie robiło na mnie wielkiego wrażenia, z góry wiedziałam, że mu nie wyjdzie, ale nigdy nie byłam pewna własnej wielkiej mądrości, więc w końcu zaczęłam się wahać. Może to ja jestem nienormalna? Znając własną rodzinę, mogłam mieć liczne wątpliwości, może jednak jestem jakoś wypaczona i głupi upór bakieruje mój umysł? Uznałam, że nie ma siły, nienawidzę niepewności, muszę pójść do psychiatry. Zwyczajnie, powiedzieć fachowcowi co myślę, o co mi w ogóle chodzi, niech on zadecyduje, co w tym nie gra. Wiadomo, jak wygląda wizyta u psychiatry, wiadomo w czym ogólnie rzecz, jeśli cokolwiek zgrzyta, należy znaleźć źródło zarazy. Bez źródła niczemu się nie zaradzi, nawet wykryć wariactwa nie można.

Postanowienie zrealizowałam, możliwe, że dosyć osobliwie.

Dlaczego wtedy szłam piechotą, nie przypomnę sobie za skarby świata, bo ogólnie jeździłam samochodem. Może właśnie stał w warsztacie, w końcu nie był najmłodszy, dość, że szłam, od placu Zbawiciela Marszałkowską do Alej Jerozolimskich.

Rozmowę z psychiatrą zaczęłam sobie układać już od początku, od placu Zbawiciela. Mam nerwicę, o tym wiem doskonale i nie ma co się nad nią rozwodzić, miałam wątroby, przeszła mi, teraz mam serca. Z przymusu dobrowolnego...

Rany boskie, cała ta rozmowa zajęłaby połowę „Baśni z tysiąca i jednej nocy". O tym przymusie, świetnie mi znanym na długo przed cmentarnymi wycieczkami z Teresą, kwestia przymusu od dzieciństwa mogłaby budzić wątpliwości wyłącznie w niedorozwiniętej kretynce, ja byłam kretynką dorozwiniętą, dawno wiedziałam o co chodzi. Marek, wbrew całemu gadaniu, nie miał co robić, przed samym sobą musiał udawać, że jest wściekle zajęty i wykonuje wiekopomnie ważną pracę. Teraz jestem taka mądra, wtedy jeszcze się wahałam. Musiał oglądać wszystkie filmy, jakie ukazywały się na ekranach, bywało, że trzy dziennie, ja, o rany boskie, miałam co robić, ale myślałam, że może i rzeczywiście zaniedbuję jakieś przejawy kultury światowej, ciężko spłoszona odniosłam z tego jedną korzyść, mianowicie ujrzałam, jak przepięknym, królewskim krokiem poruszają się kobiety w Angoli, niewiele mi z tego przyszło, bo żebym pękła, tak nie potrafię, szczególnie z dzbanem na głowie, aż w końcu na którymś seansie doznałam przerażającego zjawiska, określonego jako trzepotanie serca. O, nie, żadne takie!

Krótko potem właśnie uczepiłam się myśli o psychiatrze.

Wracam do pogawędki pomiędzy placem Zbawiciela, a Alejami Jerozolimskimi.

Szanując czas psychiatry, bardzo porządnie postarałam się usystematyzować własne doznania i przeżycia, usuwając z tego czas wojny z przyległościami, bo efekty oceniłam właściwie...

Niech się nikt nie czepia. Byłam dzieckiem. Koniec wojny był czymś tak potężnym, tak cudownym, tak radosnym, że dla mniej więcej normalnego dziecka usunął w cień upiorną przeszłość. Może jestem wyjątkiem, ale nikt mnie, do cholery, nie zgwałcił, nikt nie wyrżnął całej rodziny w moich oczach, nie musiałam żywić się surowymi szczurami, miałam fart! To co, teraz mam tego żałować...?!

Może jeszcze mam żałować, że w ogóle nie zdechłam...? O, zezłościłam się.

No dobrze, spokojnie. O psychiatrze mówimy, a nie o działaniach wojennych.

Oceniłam właściwie i poszłam dalej. Ściśle biorąc bliżej, cofałam się w przeszłość. Myślą, nie nogami, nogami konsekwentnie szłam do przodu. Po kolei, po kawałku, analizując doznania i przeżycia oraz ich éfekty, cały czas układając to w eleganckie słowa, bo pan doktór widniał przede mną, aż wreszcie doszłam.

Aż do chwili, w której szarpnęło mną tak, że w okresie spokoju, normalności, idealnie ulgowej egzystencji i cudownych warunków pracy w Danii nagle zdrętwiałam, skamieniałam i prawie udusiłam się na śmierć. Tuż przedtem dentystka, niejaka Marysia, nasza, ale od wielu lat pracująca w Danii, nakłoniła mnie do wykonania korony na górnej jedynce. Martwy był ten ząb i było pewne, że musi sczernieć, czego Marysia, jako fachowiec wysokiej klasy, nie mogła znieść. Tak uporczywie wmawiała we mnie, że jestem cudownie piękna, a to czarne potwornie mnie oszpeci, że nie zwlekać, że koniecznie, natychmiast, aż w końcu się ugiełam.

Gdzieś tam już chyba opisałam straszliwe przeżycia, jakie były moim udziałem w trakcie upiększających zabiegów, dość, że się wreszcie skończyły i zyskałam koronę, zamocowaną na najnowszym wynalazku, szczęśliwa i promienna.

No i ten ząb na wynalazku nagle mi się ruszył zaraz następnego dnia.

Nie padłam trupem, czemu się trochę dziwię. Jechałam akurat autobusem na wyścigi i ten autobus przejeżdżał obok kliniki Marysi. Wyleciałam z niego jak oszalała, popędziłam do niej, chyba niezdolna do ludzkiej mowy, Marysia zmartwiła się i natychmiast poprawiła własne dzieło, nakichawszy na wynalazek i posłużywszy się zwykłym, staroświeckim, sprawdzonym cementem. Skutecznie i poniekąd na zawsze.

No i na tej Marszałkowskiej ulicy doznałam wielkiej ulgi, bo nareszcie wykryłam źródło zarazy i zarodek moich nerwic. Jasne, od zęba się zaczęło, uszkodził definitywnie jakąś podstawę mojej odporności i później wszystko zaczęło być trudniejsze.

W punktach poukładałam sobie to wszystko, no, może wszystkiego nie zdążyłam, ze trzy czwarte i to w lekkim streszczeniu, ale przy Alejach Jerozolimskich byłam już całkowicie zdrowa, w doskonałym humorze i żadnemu psychiatrze nie musiałam głowy zawracać. Metoda, okazuje się, jest świetna, znakomicie skuteczna i rekomenduję ją każdemu! Zaraz, spokojnie, wracamy do potwora w zmiennym wieku.

Nie dość, że te wizyty składałam bez opamiętania, to jeszcze dzwoniłam po ludziach o najdziwniejszych porach dnia i nocy. Nie, dnia mniej, pracowałam, miałam mało czasu, rozmaite duszne rozterki i udręki rozkwitały głównie nocą i osoby wisiały na słuchawce zgoła w nieskończoność, bo mnie gryzły problemy. Koszmarna dziewucha, koszmarna baba!

Tyle że w tej dziedzinie w pewnym stopniu też odcierpiałam swoje, bo również służyłam za oparcie moralne i lek na depresję, co odrobinę równoważy moje szataństwa, ale samego faktu nie zmienia. Do grona potworów zaliczałam się z całą pewnością.

Gorzej. Tak mi się to przypomina po kawałku... Dziesiątki razy mieszkiwałam i nocowałam u Alicji, mieszkiwałam, mniej i rzadziej, ale jednak, u Grażyny, u Lilki, dwa razy u Małgosi francuskiej, u Joli i Michała w Paryżu, wstyd się przyznać, ale także u Teresy w Kanadzie, że nie wspomnę o dzieciach, wszędzie i wszyscy, z Alicją na czele, dawali mi pościel i przygotowywali legowisko, ja zaś w tym udziału nie brałam, waląc się na gotowe. Jak świnia. O rewanżu przez całe lata nie mogło być mowy, bo albo miałam w domu dzieci i żadnego więcej miejsca do spania...

Kiedy mieszkała u mnie ruska Helena... O, właśnie, też mieszkałam u niej w Kijowie i na Krymie! ...musiałam wyrzucić z domu Jerzego, który z zaciśniętymi zębami, wściekły nieziemsko, poszedł sypiać u mojej matki, nie pamiętam, gdzie był wtedy Robert... a, u narzeczonej. Trochę trudno przyjmować u siebie gości, usuwając stałych mieszkańców... O, proszę, także u jednego rodaka w Algierze! Ale tylko jedną noc, za to przez pomyłkę ukradłam mu ręcznik...

...albo, już bez dzieci, które dorosły i poszły na swoje, wcale nie miałam dodatkowego łóżka, poza własnym. Zdaje się, że wyłącznie jakieś turystyczne coś, zdemolowane i nadpęknięte, co wykazywało szaloną skłonność do zawalenia się kompletnie.

Nie szkodzi. Teraz posiadam pokój gościnny z sanitariatem oraz ogromną ilością dość monotonnej lektury w postaci magazynu moich książek i różne osoby mogą tam pomieszkiwać i nocować. I proszę bardzo, przyznam się. Ani razu nie zdarzyło mi się przygotować dla gościa barłogu do spania, aczkolwiek stoi tam bardzo szeroki tapczan, po wielu rozpaczliwych wysiłkach wreszcie trochę zmiękczony, bo na początku swoją twardością przerastał madejowe łoże... cholera, tani był, nic więcej taniego nie kupię...!

...pościel natomiast nie wchodzi w zakres moich zainteresowań. Ręczniki im dam, owszem, muszę pilnować kolorystyki, ale nic więcej. Panią Henię uprzejmie proszę, żeby wybrała jakąś pościel dla kogoś, podejrzewam, że pani Henia z rozpędu i elementarnej przyzwoitości coś tam dalej jeszcze z tą pościelą robi, nie wiem, nie sprawdzam, Grażyna i Lilka własnoręcznie się obsługują, wybierając w dodatku dowolną kanapę, Martusia lepiej ode mnie wie, gdzie leży jej pościel, używana jednorazowo co jakiś czas, bo tu nie hotel pięciogwiazdkowy i nikt po jednym użyciu pościeli do pralni oddawał nie będzie, a poza tym Martusia jest czysta i myje się maniacko. Dzieci spokojnie mogą się tu czuć jak u siebie domu, a Zosia i tak nad wszystkim porządnie czuwa.

Nie wspominając już o Małgosi z Witkiem, którzy w okresie moich wyjazdów pilnują domu i też lepiej ode mnie wiedzą, gdzie co leży i do czego służy. A pożywienie...? Dawno minęły czasy, kiedy je elegancko ustawiałam na stole, a prawdę mówiąc, nie wiem ile razy w życiu, może z pięć. Z przyczyn różnych, po pierwsze, przez wiele lat nie miałam normalnego stołu, po drugie, z posiłkami u mnie dziwnie bywało, po trzecie, jeśli już wykonuję pracę kucharki, praca kelnerki staje się dla mnie zbyt uciążliwa, z tym, że to dopiero ostatnimi laty. Wcześniej...

Minionym ustrojem nie będziemy się zajmować. Jeśli w sklepie bez kolejki mogę uzyskać topiony serek, ocet, ewentualnie puszki z wołowiną w sosie własnym... Niby można z tego przyrządzić ucztę, nabywszy w kiosku warzywniczym kartofelki, kapustkę, marchewkę, no, mąka jeszcze bywała dostępna, ale, jako potwór, jakoś nie miałam do tego wielkiego serca. Nie pamiętam, co właściwie przyrządzałam na obiady albo kolacje, coś z pewnością, skoro moje dzieci nie umarły z głodu, było to jednak tak wytworne, że nie warto wspominać.

Dziś, można powiedzieć na starość, albo wpadnę w szał garmażeryjny i przyrządzę rozmaite potrawy w garnkach, nie do zjedzenia jednym kopem, bo robi się tego za dużo i część trzeba zamrażać, albo nie zrobię nic i osoba głodna niech sobie sama grzebie w lodówce. Wychodzi to mniej więcej tak, jak przy Małgosi francuskiej, z tym, że wtedy ustanowiłam rekord.

Większość osób właściwie zniechęca mnie do zabiegów kulinarnych, co stwierdzam z lekką urazą. Pani Henia jest w ogóle niejadek, Martusi wystarcza na cały dzień pół kromki tostowego chlebka i łyżeczka sałatki z krewetek, Witek z Małgosią po piątej po południu nic do ust nie biorą, bo postanowili się odchudzać, Aleksandra Lilki konsumuje coś w rodzaju małego zasobniczka jogurtu, Mariola nie jada w ogóle nic, co po niej widać, Jerzy też niewiele, Robert ma cholesterol, a Zosia woreczek żółciowy. To dla kogo ja mam to żarcie robić? A Grażyna, kiedy do niej przyjeżdżam, specjalnie dla mnie smaży przecudowne kotlety mielone...! Powinnam się nimi ekspiacyjnie dławić. Nic podobnego, żrę z zapałem i bez żadnych wyrzutów sumienia.

W dodatku myli mi się, kto czego nie je, kto czego nie lubi i komu co szkodzi. Zosia jest uczulona na grzyby, czerwone owoce i cynamon, pani Henia nie cierpi pomidorów i papryki, cynamonu również, Małgosia do ust nie weźmie krewetek, określając je mianem robactwa, ktoś nie lubi curry, ale zapomniałam kto, Robert nienawidzi ryb, Witek rukoli, a ja sama wykluczam czosnek. No, to ostatnie pamiętam.

I ja mam się temu zajęciu oddawać z zapałem?! A Małgosia obsobaczyła mnie ostatnio, że nie dbam o panią Henię, która ciężko pracuje i nie ma nic do jedzenia, w panice nabyłam ciasteczka, co do których mam przynajmniej pewność, że pani Henia je owszem, uznaje, chociaż nie wszystkie, i rezultat był taki, że musiałam te ciasteczka sama zeżreć, bo ich świeżość nawet w lodówce zanikała.

Jedyne, co się w moim domu na pewno nie zmarnuje, to ogórki małosolne.

Widać z tego, że goście u mnie są przyjmowani co najmniej osobliwie. W dodatku rośnie we mnie gwałtownie cecha rodzinna, niecierpliwość, i chyba przerosłam już moją matkę, która pod tym względem biła rekordy.

Z pewnością już o tym pisałam, ale chyba powinnam powtórzyć. Naprawdę dopiero z wiekiem pojęłam przyczyny straszliwego tempa, jakie moja matka wprowadzała przy posiłkach. O, nie wszystkich, tylko tych co uroczystszych.

W normalnych domach ludzie jedzą przystaweczki, jakieś tam pierwsze danko spokojnie, bez pośpiechu, hamując się z grzeczności, nawet jeśli są głodni, delektują się, potem ruszają z następną potrawą, czasami sobie dokładają, posmakują, odpoczną, po przerwie jedzie kolejne, przed deserem przerwa jeszcze dłuższa... Jest czas na ocenę smaków, czas na pogawędki, chwila namysłu co wolą, kawkę czy herbatkę... Nie w moim rodzinnym domu. Rodzina i goście przy stole żrą w pośpiechu straszliwym, jakby ich ktoś gonił, nie skończą z jednym, już im wjeżdża następne, dławią się, ale rąbią, bo wszystko dobre, sosik i mięsko w zębach, a tu deser przed nosem, nie żadne eleganckie przyjęcie, tylko tajfun i trąba powietrzna. No i teraz rozumiem. Najzwyczajniej w świecie moja matka miała już dosyć kotłowania się w kuchni i też chciała spokojnie usiąść przy stole i odpocząć. Kawałkami się nie da, tam się wciąż jeszcze jedno dopieka, drugie doduszą, trzecie trzeba pomieszać, czwarte sprawdzić... Siedzieć chyba półgębkiem, co chwilę się zrywając i miotając po garnkach, to nie jest odpoczynek. No więc jedyne wyjście, skończyć z całością, postawić na stole i niech sobie żrą, co kto chce i ile chce. Ale jeśli jedno ma być zimne, a drugie gorące...? No to jazda, jazda, odpracować to zimne i łapać się za gorące, bo wystygnie, i do diabła z tym żarciem! Ponadto wszystko razem nie mieściło się na stole, nie było siły, należało jedno sprzątnąć, żeby następne ustawić, trudno przecież wyrywać gościom z ust i rąk ledwo napoczęte talerze i półmiski!

Robię to samo. To znaczy nie, niezupełnie, staram się nie robić tego samego, przyhamowując z najwyższym wysiłkiem. Szczęśliwie do ogólnej organizacji pracy jestem nieźle przyzwyczajona i potrafię wyliczyć czas tak, żeby to pierwsze ustawić na stole, usiąść spokojnie, czasem nawet coś zjeść i nieco odpocząć. A we właściwym momencie gościom kazać posprzątać dodatki niepotrzebne, samej zaś z triumfem wyjąć z piecyka gotowego kurczaka, względnie zgasić palnik pod gotowym melanżem z wołowinki, zdjąć z garnka ryż trzymany na parze czy cokolwiek innego...

I też nareszcie mieć z głowy. Nikogo nie poganiając. Po deser goście sami sięgają do podręcznej lodówki, herbatka jest zaparzona, a kawę i tak każdy sobie sam robi, bo ja się na kawie nie znam.

Wyznaję, iż wielokrotnie się zdarza, że po skończonym przyjęciu przypominam sobie o zapomnianej przystawce, o koreczkach, ogóreczkach, śledzikach... Nic straconego, kogo słodkie zemdliło, może sobie marynowanym smak poprawić.

Uczciwie muszę stwierdzić, że wcale nie moja matka zaczęła, tylko babcia. Babcia poganiała niczym nadzorca na plantacji z niewolnikami. Przynajmniej za mojej pamięci, co do prababci nie mam wiedzy, ale szczerze wątpię, czy tak przyziemne drobiazgi wchodziły w skład jej zainteresowań, miłość do gospodarstwa domowego odziedziczyłam po niej.

Babcia natomiast głosiła pogląd:

– Jaki kto do jedzenia, taki do roboty!

Rezultat właśnie opisałam. Dławili się wszyscy, ale żarli w przerażonym pośpiechu, a potem wielkie zdziwienie budził stan wątroby i przewodu pokarmowego całego poprzedniego pokolenia, a nawet trochę moich nieszczęsnych dzieci. Pojęcia nie mam, jakim cudem ja się uchowałam, chyba charakter stworzył tarczę ochronną. Bunt przeciwko przymusowi.

Co nie przeszkadza, że wrodzona, jak widać, niecierpliwość zatruwa życie, komu tylko może, ze mną włącznie.

O, powiem od razu. Z wszystkich innych zatrutych wyszłaby cała epopeja, a sama sobie robię coś takiego, co z daleka rzuca się w oczy.

Zważywszy meteopatię, w którą wpędziła mnie cholerna meszka, czuję się rozmaicie, to zdechła doszczętnie, to radosna niczym stado skowronków, przy czym dzieje się to w sposób nieprzewidywalny, znienacka, w najdziwaczniejszych chwilach. Znając właściwość organizmu, ilekroć popadam w euforyczny wigor, natychmiast chcę to wykorzystać czym prędzej, bezzwłocznie, zrobić wszystko od razu i oprócz tego jeszcze trochę. Poruszanie się spokojnym, lepiej byłoby nawet majestatycznym krokiem nie wchodzi w rachubę, latam jak z pieprzem jakby mnie kto gonił albo batogiem popędzał, w domu jak w domu, ale w ogrodzie usiłuję wykonać co tylko się da. Rezultat widoczny jest na zewnątrz mnie i budzi niekiedy okrzyki zgrozy, mam bowiem jakoś dziwnie dużo roślin kłujących. Rosną jak oszalałe, ustawicznie trzeba je przycinać i w ogóle kurtyzować, nie zawsze z tej niecierpliwości pomyślę o sekatorze na długich rękojeściach, łapię któryś krótki i pcham się z nim w gąszcz. Gąszcz jak gąszcz, chciwie łapie mnie, pigwa, róże, berberys, żywopłot, nawet niewinna wierzba płacząca... No, nie sama wierzba, ale ona rośnie w dół, a róże lecą do góry, plącze się to ze sobą i przy wierzbie ślady róż też mam na sobie. Upiór krwią ociekający i obdrapany, tak jakbym nie mogła zrobić tego nieco wolniej i spokojnie!

W dodatku ciągle jakoś nie ma kiedy załatwić zeszlifowania na okrągło jednego ostrego narożnika parapetu. O wystające draństwo nie tylko ja się obtłukuję, Małgosia także, tyle że ona nieco rzadziej. No nic, mamy to w planach. Nie obtłukiwanie, tylko zeszlifowanie.

Zaraz, nie obiecywałam, że ten potwór zostanie zaprezentowany chronologicznie. Mogą się wymieszać ze sobą młody i stary, i właśnie to zjawisko wystąpi.

Rany boskie, jakaż ja byłam gadatliwa! Chyba już jako dziecko, chociaż własnej gadatliwości przedwojennej nie pamiętam, ale wojenną i powojenną owszem. Gęba mi się nie zamykała, opinia o mnie była tak powszechna i ugruntowana, że chyba musiała być słuszna, ale przerażająco długo nie przyjmowałam jej do wiadomości. Pojęcia nie mam, co to było, chociaż wyznaję, że się na tym zastanawiałam, może niechętnie i bez przekonania, zatem bezskutecznie. Gonitwa myśli? Owszem, byłam dziewczynką myślącą, nawet jeśli głupio i chaotycznie, to jednak, te myśli upierały się ze mnie wybiegać, pewnie im się siedlisko nie podobało. Miałam nawet na to dowody, na ich istnienie, nie na upodobania, ponieważ dużo spisywałam, ale na szczęście przytłaczająca większość tego gdzieś mi poginęła. Jakaś wielka aktywność wewnętrzna, mnóstwo siły? Dzieci wrzeszczą, żeby się wyładować, raczej mało wrzeszczałam, samo gadanie widocznie mi wystarczało.

Kiedy byłam naprawdę zmęczona, trzymałam gębę zamkniętą.

O czymś to świadczy, a sprawdzianem stał się dla mnie mój syn i sama już nie wiem, czy o tym napisać, bo jeszcze się dziecko na mnie obrazi, ale utrzymywanie tajemnicy dawno odpadło, wszyscy zauważyli i wiedzą, on sam prawie nie stawia oporu, więc ryzyk-fizyk.

Roberta mam na myśli. Gadatliwy był po mamuni zgoła przerażająco, a siły miał od groma i trochę, uciszyć się nie pozwalał. Szkołę doprowadzał do rozpaczy, bo w charakterze rozmówców wybierał sobie nauczycieli, którzy bez mała kołowacizny dostawali, nie wspominając o rodzinie. Aż przyszła chwila buntu, kiedy to uparł się iść do pracy fizycznej, w porządku, poszedł, praca fizyczna okazała się rzetelna i wyczerpująca, wrócił do domu i milczał.

Prawie się zaniepokoiłam. Chory czy co? A otóż nie, zorientowaliśmy się, schetany i ochwacony tak, że na wydawanie z siebie głosu zabrakło mu już siły.

Podobno milczał także przez całe trzy dni, kiedy w Algierii projektowany przez niego kocioł centralnego ogrzewania dał się uruchomić i zaczął świetnie działać, zamiast wybuchnąć. Zamilkł od wstrząsu, Robert, nie kocioł. Ale to już nastąpiło później.

Wcześniej, kiedy poszedł do pracy, ugruntowałam się w poglądzie. Nadmiar siły plus nadmiar myśli plus wściekła potrzeba wypchnięcia z siebie tych myśli, równa się: gadatliwość. Coś tak, jak pożar minus zapałki równa się: dzieci.

Nic dziwnego, że ludziom trudno było ze mną wytrzymać i że tym histerycznym gadaniem zrażałam sobie chłopaków. Co prawda, takiego zrażonego pamiętam tylko jedną sztukę, ale za to pamiętam porządnie, bo mi na nim akurat okropnie zależało. Bardzo zmieszana przyjaciółka dała mi do zrozumienia, że zachowałam się jak idiotka i wcale mu się nie dziwi, że sobie poszedł.

Chyba wzięłam jej wypowiedź pod uwagę, skoro następny nie poszedł, tylko się ze mną ożenił.

Najgadatliwsza byłam w dwóch sytuacjach. W chwilach straszliwego zdenerwowania (bomby, egzaminy, nadjeżdżający pociąg z ewentualnym miejscem wyłącznie na dachu) i w przypływach radosnego, tryskającego kaskadami wigoru. We wszystkich pozostałych byłam gadatliwa przeciętnie, co też w zupełności wystarczało.

Jedną z licznych przyczyn tej czarującej cechy nawet mogę zrozumieć. Otóż ciągle, z niewiadomych przyczyn, czułam się za wszystko odpowiedzialna, wariactwo jakieś albo coś we mnie wmówiono. No i jako pani domu bezwzględnie czułam się odpowiedzialna za samopoczucie gości.

Jeśli miałam gości znających się wzajemnie, rozmownych, pół biedy jeszcze, zabawiali się sami. Jeśli byli to goście raczej milczący, nieśmiali, powściągliwi i przesadnie grzeczni, aż mnie w środku skręcało. Byłam wszak zobowiązana wytworzyć miłą atmosferę, zabawić ich, rozerwać, no, zrobić co trzeba.

Proszę bardzo. Milczą wszyscy, a mnie rozpacz ogarnia
i próbuję ich ruszyć. Wynika z tego, co następuje:
– Jaką masz śliczną bluzkę! Gdzie taką znalazłaś?
– W sklepie – pada nad wyraz wyczerpująca odpowiedź.
– W jakim sklepie?
Milczenie.
– W domu towarowym? W pawilonach? W butiku?
Po długiej chwili.
– W pasmanterii.
– W której? Było takich więcej? Prześliczna! Bardzo
droga?
– Nie.
Wszyscy milczą kamiennie, słuchając dialogu. We mnie
klęśnie. Boże jedyny, ruszyć inny temat...!
– Słuchaj, jak ci smakuje ta sałatka? Pamiętałam, żeby
nie dosypać papryki, bo wiem, że nie lubisz, ale dowaliłam
pieprz ziołowy. I jak...?
Osoba rozgrzebuje sałatkę widelcem, niekiedy nawet
wkładając trochę do ust.
– Dobra.
– A ten pieprz?
– Może być...
– A ktoś z was w ogóle lubi paprykę?
Milczenie ogólne.
Koniec rozmowy. Ubaw na dwadzieścia cztery fajerki.
Odpowiedzialność we mnie awanturuje się i bulgocze.
Gotowa jestem natychmiast opowiedzieć im o napadzie
erotomanów z pepeszami, wszystko jedno, na mnie czy na
kogokolwiek innego, o zmowie podpalaczy, czających się
na ich domy, o narkomanii ich własnych dzieci i rodziców,
bo moi mogą okazać się mało interesujący, o wygraniu miliona na loterii... Nie, miliona nie, to budzi nieprzyjemną
zawiść. O czymkolwiek!
    Po cholerę w ogóle do mnie przyszli? Nie na żarcie, to
pewne, nigdy nie słynęłam z kunsztu w tej dziedzinie, nie

na wódkę, alkoholu u mnie zawsze było jak na lekarstwo,
to niby po co? Zobaczyć się wzajemnie i pomilczeć? Popatrzeć na mnie? Znowu mi widok, pomijając już to, że oglą-
dają mnie ustawicznie. Źle ich dobrałam, nienawidzą się
wszyscy, a ja o tym nie miałam pojęcia? Ale przecież ich
mieszam!
    No i co z takim fantem zrobić? Jakim cudem w tych
okolicznościach mam nie być gadatliwa?
    Nie przesadzajmy, należałoby tu użyć czasu przeszłego,
w ostatnich latach podobne okropieństwo zdarzyło się zaledwie raz, doboru osób pilnuję starannie, ponadto tylko
dwie znam takie, które potrafią zamilczeć towarzystwo na
śmierć, reszta zachowuje się normalnie. A gadatliwość
o tyle mi przeszła, że już nie mam na nią siły.
    Przydatna była niezmiernie na spotkaniach autorskich,
kiedy przeciętnie sto dwadzieścia osób siedziało i w ciszy
cmentarnej patrzyło mi na usta w namiętnym, z ócz try-
skającym, oczekiwaniu. Jeśli jednak z czegoś zrobi się człowiekowi zawód, zapał do tego od razu mu przycicha. Jeszcze tylko niektórzy dziennikarze działają na mnie niczym
trąbka na bojowego ogiera.
    Podkreślam z naciskiem: bardzo niektórzy.
    W pewnym stopniu jednakże bywałam skrzywdzona.
Opinia o mojej gadatliwości okazała się tak przeraźliwie
ugruntowana, że działała automatycznie. Pierwszą reakcją
mojej przyjaciółki po katastrofie sylwestrowej, wykonanej
przez Michała, były słowa:
    – Bo ona na pewno do ciebie gadała i dlatego tej cięża-
rówki nie widziałeś!
    Abstrahując już od faktu, że gadanie wpływa na słuch,
a nie na wzrok, w ogóle wtedy nic nie mówiłam, bo wytresowana na motorze, w czasie każdej jazdy przywykłam
w zasadzie milczeć, na motorze pogawędki odpadają. Widząc nieuchronnie nadlatujące zderzenie, tym bardziej mil-
czałam, żeby nie zdenerwować kierowcy. Michał uczciwie

zaprzeczył posądzeniu, co przez nikogo nie zostało przyjęte do wiadomości.

Drugi podobny wypadek nastąpił u mnie w domu, gdzie wśród nielicznych gości znalazła się Ewa, ta od Tadeusza, z mojego dawnego miejsca pracy, opisana w paru miejscach. Ewa to była ostra dziewczyna, która waliła prawdę prosto z mostu, gdzieś mając konsekwencje, aczkolwiek ogólnie zachowywała się normalnie, spokojnie i miło. Tadeusz przesadnie milczący nie był, tyle że słuchać grzecznie potrafił i z gadaniem własnym się nie pchał. Ktoś jeszcze siedział przy stole, ale wszystkich nie pamiętam, bardzo mi przykro.

Gadał głównie Marek. Właściwie wyłącznie. Sama byłam ciekawa, co może powiedzieć, jaką brednię wymyśli i jak oni na to zareagują, więc też słuchałam w milczeniu. Odezwałam się w końcu, pytając którąś osobę, czy nie chce jeszcze trochę kawy albo herbaty, bo osoba miała przed nosem puste naczynie. Marek zgromił mnie natychmiast z siłą kafara, zarzucając mi, że gadam bez przerwy, nie dopuszczając nikogo do słowa.

I wtedy z miejsca wystrzeliła Ewa.

– Sam gadasz bez przerwy! Nie zauważyłeś tego? Ona odezwała się pierwszy raz, siedzę obok i słyszę! Przyganiał kocioł garnkowi! To jest jakaś obsesja!

Nieprawda, drugi raz, na początku spytałam wszystkich, co chcą do picia. Nie sprostowałam teraz, ucieszyłam się bardzo jej reakcją, wzruszyłam ramionami i poszłam po tę kawę czy herbatę. Pojęcia nie mam co on jej odpowiedział, posłuchałam nawet z ciekawością, ale nie pamiętam, poza tym i tak nigdy nie umiałam zacytować żadnej jego wypowiedzi. Żałowałam nawet niekiedy, że bodaj z raz tego nie nagrałam, miałam dyktafon, ale do posługiwania się wynalazkami akustycznymi brakowało mi serca. Ponadto musiałabym to zapewne uczynić w tajemnicy, ukradkiem, bo za jawne nagrywanie z pewnością by się obraził.

Ale gadatliwym potworem bezwzględnie musiałam być. Wiem na pewno. Znam gadatliwe osoby i włos mi na głowie dęba staje na wspomnienie siebie samej.

Tyle mam z tego, że nareszcie rozumiem, skąd powściągliwość w kontaktach ze mną różnych nad wyraz przeze mnie lubianych znajomych. A nawet przyjaciół. Szkoda. Należało opamiętać się wcześniej.

☆ ☆ ☆

Powątpiewam, doprawdy trudno odgadnąć, z jakich powodów, czy uda mi się doprowadzić tę całą cholerną autobiografię aż do chwili własnego pogrzebu, staram się wobec tego ponadrabiać wszystkie zaniedbania i wetknąć tu rozmaite spóźnione informacje i wnioski, które wcześniej nie przyszły mi na myśl. Z czego oczywiście wychodzi melanż absolutny.

Na staraniach o sens i chronologię z góry kładę krzyżyk, już widzę, że sprawa jest beznadziejna. Razem pojawiają mi się:

Informacja, że jeden ślimak, wyrzucony na jezdnię dość lekko i bez szkody dla zdrowia, po kwadransie znalazł się z powrotem przy chodniczku przed moim domem. Znaczy, z miejsca ruszył bydlak w drogę powrotną. O, nie! Podle i mściwie rzuciłam go dalej. Po czym, zajęta czym innym, zapomniałam o nim i teraz już go nie widzę. Nie wiem, co cholernik zrobił, wrodzony optymizm każe mi wierzyć, że ktoś go jednak przejechał.

Kolejny komunikat z ostatniej chwili, że siateczkę miedzianą można zastąpić skorupkami od jajek, drobno potłuczonymi. Podobno ślimaki tego też bardzo nie lubią i zawracają. Natychmiast po uzyskaniu wieści domieszałam do sałatki z curry dwa jajka na twardo, możliwie duże, a Małgosia zrobiła dla całej rodziny jajecznicę z sześciu jajek. Skorupki Witek przywiózł.

Wniosek, który rozbłysł w moim pożal się Boże umyśle dopiero teraz, jakby nie mógł wcześniej. Monika, jako małe dziecko, ustawicznie radośnie uciekała i głównym zajęciem Zosi było ganianie dziecka po lotniskach, peronach, ulicach i w ogóle gdzie popadnie, i dokładnie to samo czyniła moja matka. Radośnie uciekała i ganiała ją babcia w gorsecie, więc Zosi przynajmniej było łatwiej, bo bez gorsetu. Jasne, że Monika miała to po mojej matce, a swojej prababce, geny przeleciały się po pokoleniach.

Wspomnienie straszliwej klaustrofobii, jaka dopadła w mnie praskim metrze. To na tle schodów. W Pradze czeskiej byłam parę razy i za skarby świata nie przypomnę sobie, do którego pobytu to wspomnienie należy. Zawsze bywałam tam samochodem, nigdy inaczej, z wyjątkiem międzylądowania, kiedy leciałam do Hawany, ale przecież wtedy nie zwiedzałam miasta! Tymczasem w owym metrze musiałam być na piechotę, świeżo je otwarto i prażanie byli z niego tak przeraźliwie dumni, że na wszelkie pytania o drogę padała odpowiedź, że trzeba metrem. Koniecznie, tylko metro! I przejechałam się tym metrem, metro jak metro, ludzka rzecz, ale wysiadłam, zdaje się, za daleko, mam wrażenie, że był to przystanek za Muzeum, po czym wyjechałam na górę. Też, zdawałoby się, normalna rzecz. Co do tego, mam wątpliwości, zaczęłam jechać schodami do góry i tak jechałam, i jechałam, i jechałam... Spojrzałam w górę, końca nie widać, spojrzałam w dół, początku też nie widać, a to jedzie i jedzie, i jedzie... Na litość boską, umarłam bezwiednie i teraz jadę prosto do nieba, zawsze to jakaś pociecha, do piekła byłoby chyba w dół...? Dziwiło mnie trochę, że zaczynam się dusić, po śmierci przecież nie powinnam?

Dojechałam żywa i wydostałam się na świat. Za żadne skarby świata nie wejdę więcej do praskiego metra.

O, teraz będzie ponure, przypomnienie spadło na mnie, bo też się wiąże ze schodami.

Wielokrotnie, jadąc gdzieś tam zwykłą krajową szosą, względnie zagraniczną, elegancką autostradą, śpiewam sobie w duchu, a nawet niekiedy chrapliwym rykiem pieśń patriotyczną, pochodzącą od mojej babci, odrobinkę zmodyfikowaną:

„...Syn zabił ojca, brat zabił brata, mnóstwo kretynów jest wokół nas..."

Jak łatwo zgadnąć, pcha mnie ku pieniom sytuacja na jezdni i poczynania geniuszy w okolicznych samochodach. To nie do uwierzenia, jakie straszliwe stado idiotów akurat mnie musi otaczać. Nie dość, że schody, to jeszcze debile.

Zaniedbałam kwestię wcześniej, bo jeszcze nie zdawałam sobie sprawy z poniesionych strat i dokładnie dostrzegam je dopiero teraz.

Po czterdziestu czterech latach mieszkania w jednym miejscu przeprowadziłam się do nowego domu w ciągu jednego dnia. Szaleństwo, obłęd i nikomu nie radzę. I do tej pory właściwie nie wiem dlaczego i kto mnie tak przeraźliwie poganiał. Podejrzewam, że ja, sama siebie.

Pozbyć się schodów. Odczepić się raz wreszcie od tych cholernych schodów. Nigdy więcej nie stąpnąć na ani jeden stopień! To było marzenie mojego życia.

Należało oczywiście zaangażować firmę przewozową, która pakuje, przeprowadza i ustawia w nowym miejscu, ale nie mogłam tego zrobić, bo zbyt wiele rzeczy miało zostać. Należało zatem, zabrawszy większość, a nawet prawie wszystko, wrócić, rozejrzeć się i zlikwidować ewentualne zaniedbania. No właśnie, tu jest pies pogrzebany.

Ja osobiście nie wrócę. Nie wejdę jeszcze raz na upiorne schody nawet, gdyby tam, na górze, lęgły się diamenty jak gęsie jaja i wiały odchudzające prądy. Ktoś inny, ktokolwiek! Nie pojmuję, dlaczego nikt taki się nie znalazł i nikogo nie zdołałam zmusić do penetracji, zapewne brakowało mi siły przebicia. Pogodziłam się już z wykrytymi sukcesywnie stratami, przebolałam dwa worki z odzieżą, zegar z Syberii i łopatkę do patelni, ale teraz ostatnią kroplą stały się kinkiety i te kinkiety, własnoręcznie przeze mnie kołkowane w ścianie czterdzieści lat temu, z całą pewnością wpędzą mnie do grobu. Bezwzględnie miały być zabrane!

Do dziś nie mogę uzyskać informacji, co za idiotę Tadzio wpuścił do tamtego mieszkania, ale musiał to być jakiś zwyrodniały debil, zboczeniec, kretyn gorszy niż ci z pieśni patriotycznej, wandal, barbarzyńca i porąbaniec wyjątkowo bezmyślny. Tadzio na ten temat milczy kamiennie i nie mogę się od niego dowiedzieć, skąd wziął ową istotę wybrakowaną umysłowo, bo niczego nawet zbliżonego w jego towarzystwie nigdy nie widziałam. Niemożliwe też, żeby podobnego imbecyla nie zauważyła Agnieszka, dziewczyna inteligentna, operatywna, bystra życiowo, atrakcyjna i pełna zalet, jak to się mogło stać, żeby nie wkroczyła z protestem? Nie do pojęcia!

I pomyśleć, że przejechała wywleczona z piwnicy dwudziestoletnia decha dębowa, dwucalówka, doszczętnie zmurszała i spróchniała, do niczego nieprzydatna, a kinkiety zostały. W obliczu stosowanych ostatnio, pożal się Boże, oszczędności oświetleniowych, trzaskania żarówek jedna za drugą i grożącej nam wszystkim utraty wzroku, te piekielne kinkiety przeistoczyły się dla mnie w kość zgryzoty i darować ich sobie nie mogę. Co to bydlę niedorobione z nimi zrobiło?

Naprawdę musiały mi się razem wymieszać te dwa urocze elementy, schody i debile? Klątwa jakaś?

No dobrze, niech się już odczepię od międlenia klęski, bo rzeczywiście szlag mnie trafi. Przejdźmy dalej.

Jeżdżę samochodem prawie pięćdziesiąt lat. Jak każdy normalny kierowca, muszę się chwilę zastanowić, jeśli mnie ktoś pyta, który pedał jest który, możliwe, że w zastanawianiu udział biorą głównie nogi w swojej dolnej części. I oto ostatnio... ale to może był jakiś zły dzień... zamyśliłam się, czekając przy skręcie w lewo, aż przejadą ci przede mną, przejechali, teraz ja, i okazało się, że samochód nie chce ruszyć. Sprawdziłam skrzynię biegów, w porządku, jest jedynka, silnik działa, ale gaśnie, co się dzieje? Już błysnęła mi myśl o pomocy zewnętrznej, kiedy zareagowała zniecierpliwiona noga sama z siebie. Ona, nie ja, ja byłam spóźniona. Przeniosła się po prostu z hamulca na gaz i stwierdziłam, że cały czas, zamyślona, silnie naciskałam hamulec.

I zaraz potem, chociaż wcale się nie zdenerwowałam, zaczęłam otwierać wrota garażowe, zamierzając wjechać do własnego garażu. Nie reagowały, tu już się rozzłościłam, do diabła z tą całą elektroniką i pilotami! I od razu okazało się, że uparcie przyciskam zamykanie.

Postanowiłam tego dnia już absolutnie nic skomplikowanego nie robić.

Powiadomiona okazjonalnie o śmiesznostce Martusia bardzo poważnie poradziła mi udać się na porządny, dłuższy urlop. Obawiam się, że miała rację.

Bo naprawdę nie wiem dlaczego, siedząc przy komputerze i mając pod ręką obie komórki, zabrałam je i udałam się do kuchni, żeby zadzwonić służbowo do Ani Pawłowicz, połowy mojego wydawnictwa. Jeszcze wróciłam do komputera po zostawioną tam herbatkę. Zadzwoniłam, załatwiłam sprawę i z całym oprzyrządowaniem ponownie udałam się do komputera kontynuować to coś, co określamy mianem pracy. I, jak Boga kocham, w kuchni nie miałam żadnego interesu!

Jednak Martusia chyba naprawdę ma rację.

Zauważyłam, że ustawicznie napomykam tu o działalności duszy, znacznie mądrzejszej ode mnie, i uznałam, że powinnam to porządniej wyjaśnić. Proszę bardzo.

Zjawisko występowało przez całe moje życie, ale oczywiście nie wszystko pamiętam, tylko drobiazgi z ostatnich lat. Te okulary, zgubione na Praterze, dusza mówiła: „weź zapasowe", no, widać, co z tego wynikło. To samo było z zegarkiem, nieco wcześniej, dusza powiedziała: „weź drugi zegarek!", nie leżał pod ręką, ale wiedziałam gdzie jest i sięgnięcie po niego nie było wielką sztuką, to nie. A tam, do diabła z zegarkiem! Oczywiście wysiadł mi w miejscu i okolicznościach możliwie najbardziej kłopotliwych, żadnej szansy na wymianę bateryjki, a zarazem akurat przez tydzień życie z zegarkiem w ręku z konieczności. Co się umęczyłam, to moje, w obcym kraju ludzi po ulicach zaczepiałam pytaniem „która godzina", rozglądałam się rozpaczliwie po wieżach kościelnych i dworcach kolejowych, w nerwach trwałam aż do chwili znalezienia zegarmistrza. Kupiłabym jakikolwiek drugi, byle jaki, w tym rzecz jednak, że mogłam kupić ozdobny grzebień, kozi serek, fujarkę i różne inne podobne produkty, ale nie zegarek.

Na peruki dusza położyła nacisk tak potężny, że zawsze miałam przy sobie dwie i proszę, jak mi szkwał zerwał ze łba jedną, druga była jak znalazł. W tym wypadku należy przyznać, że duszę wspomogło uwłosienie jako takie, z uczesaniem zawsze miałam przeraźliwe kłopoty, włosy trudne, co ja poradzę. Na wszystkich zdjęciach widać, że bez peruki wyglądam jak łyse pomietło, a człowiek nie zna dnia ani godziny, kiedy mu każą pozować do fotografii.

Kiedy zatem dusza uczepiła się zębów, potraktowałam ją poważnie.

Przyznam się. Skoro już piszę o okropnościach i znęcam się nad samą sobą, niech będzie.

Po matce i w ogóle po kądzieli odziedziczyłam najokropniejsze cechy charakteru, po ojcu trzy elementy: dobre serce, włosy i zęby. No, jeszcze upodobanie do liczb, z ciekawości wyliczałam sobie kiedyś, ile też dostał dziewiętnastowieczny angielski spadkobierca, któremu sto lat wcześniej złożono sto funtów na procent składany. Nie on, rzecz jasna, miał je dostać, tylko któryś tam z jego potomków we właściwym momencie życia. Potomek dostał, bo były to czasy oraz instytucje solidne, bardzo się wzbogacił i zaciekawiło mnie, o ile. Przewidziane zostało 4%, sumy poniżej szylinga nie wchodziły w grę, walutę stanowiły pensy, szylingi i funty, obliczałam to sobie w pamięci, zazwyczaj przed snem, jako środek nasenny działało doskonale, ale teraz nie pamiętam, dociągnęłam do tych stu lat czy nie?

Mam wrażenie, że tak, bo się uparłam, możliwe jednak, że straciłam cierpliwość i ostatnie dziesięciolecie policzyłam jednym kopem na papierze. Też nie pamiętam, ile mi wypadło, bo było to przeszło czterdzieści lat temu, ale zdaje się, że naprawdę nieźle.

Nie w liczbach zmora siedzi. Włosy, no właśnie, włosy, ojciec miał włosy do końca życia, nie wyłysiał nigdy, ale co z tego, nie był wszak kobietą. Mógł sobie chodzić gładko uczesany, to nawet było elegantsze niż jakieś tam rozwichrzone czupryny, a ojciec z całą pewnością prędzej rzuciłby się pod pociąg niż, na przykład, zapuścił warkocze, nie wspominając już o reakcji jego małżonki w takim wypadku, bo na samą myśl zgroza ogarnia.

W porządku, stąd moje peruki.

Niestety, pozostał trzeci element, cholerne zęby. Nie wiem, co robiła moja babcia po mieczu ze swoimi dziećmi i czym je karmiła, w obliczu dwóch kamienic pradziadka o żadnej nędzy mowy być nie może, ale wszystkim im brakowało wapna. Może babcia, świeć Panie nad jej duszą i bardzo przepraszam, była po prostu głupia...? Bo w końcu dziadek-alkoholik, z którym w jednym grobie zamierzam z przyjemnością leżeć, niewiele miał do gadania, fortepianu na wódkę nie wyniósł, przedwojennego apartamentu z oddzielnym wejściem dla służby też na barak na Annopolu nie wymienił, nie uwierzę, że ostatnią kroplę mleka dzieciom z ust wyrywał. A zęby jakiś bunt okazały... Z rozgoryczeniem o tym piszę, bo na mnie się odbiło. Cechy matki trzymały mnie w szponach bardzo długo, a moja matka całe życie miała zęby jak kamienie, wiertła dentystyczne się na niej tępiły, aż w końcu chyba coś straciło cierpliwość. Z ojca przeszło na mnie.

Dusza się awanturuje, że miało być o niej. A proszę, proszę. Potworne, ale niech jej będzie.

Proteza ta rzecz się nazywa. Doczekałam się jej, zmobilizowałam całą siłę ducha, postanowiłam przetrzymać, trudno, zdarzają się człowiekowi gorsze rzeczy. Na dobrą sprawę nie różniła się wcale od tego, co miałam własne, udało mi się przyzwyczaić.

No i stało się to wtedy, kiedy akurat był ogólnie zły rok. Co ja rozgryzłam, Boże drogi, na pewno coś niewłaściwego i tuczącego, migdałek w soli...?

Zaraz, to później. Przedtem poczułam, że coś mi w gębie nie gra, drobnostkę jakby czuję, ale drobnostka chyba mi się nie podoba...?

– Natychmiast jazda do dentystki!!! – wrzasnęła strasznie dusza.

– Oj, nie zawracaj głowy – odparłam to niecierpliwie i buntowniczo. – Nie mam teraz czasu i głowy do tych dupereli!

Było to trzy tygodnie przed świętami Bożego Narodzenia, oczekiwałam wizyty dzieci, słowo daję, że miałam co robić. Dusza czepiała się jak wściekła, ogłuchłam na jej krzyki, no i wtedy wystąpił ten cholerny migdałek. Owo coś, określane mianem protezy, pękło w środku.

O, po minionych doświadczeniach żadnym trupem nie zamierzałam padać. Odrętwienie trwało krótko, za dwa dni, znaczy pojutrze przyjeżdżają dzieci, ta rzecz musi zostać załatwiona natychmiast, moje dawne i przez lata starannie zaniedbywane wykształcenie techniczne krzyknęło wielkim głosem, wiem, jak takie renowacje można wykonać i niech mi nikt nie wmawia, że wiem źle!

No owszem. Tu się kłania potwór. W sprawę natychmiast zostały włączone co najmniej trzy osoby, moja zachwycająca dentystka, protetyk i Witek. Wszystkie dociśnięte z siłą prasy hydraulicznej.

Zdaje się że dla pani stomatolog to był akurat również zły rok, ale nie będę się w to wdawać, bo nie piszę jej biografii, tylko własną, w każdym razie moje propozycje zaradzenia złu powitała pełną aprobatą. Odrobina tam może była wahania, ale tak subtelna, że pajęczyna przy niej wydaje się liną okrętową. Złapała protetyka, przez ten czas pazurami chwyciłam Witka, może i był trochę ogłuszony, nie wiem, w końcu rzadko człowiek gdzieś jeździ z cudzymi zębami, ale może mu się ta niezwykłość podobała...? Wątpię i wolałam go dokładnie nie wypytywać.

Produkt zapasowy i niewygodny w domu posiadałam, bo, jak wielokrotnie zostało powiedziane, nie mam zwyczaju wszystkiego natychmiast wyrzucać. Witek zabrał przełamany przedmiot i pojechał. Nie wiem dokąd i też go pytać nie będę.

Nazajutrz przywiózł rzecz, naprawioną wręcz idealnie, ale na obliczu miał jeszcze resztki zgrozy.

– Kazali mi to przymierzyć – oznajmił jakimś takim martwym głosem.

Wymieniłam już wyposażenie gęby i poczułam się bardzo zadowolona z życia. Zaciekawiło mnie.

– I co?

– I odmówiłem.

– I słusznie. I co?

– Upierali się. Uważali mnie, zdaje się, za idiotę. Co panu szkodzi, mówili, niech pan otworzy buzię...

– Buzię...?

- Buzię. Tak łagodnie. Do wariatów każdy się zwraca łagodnie.
- Nie powiedziałeś, że to nie twoje?
- Mówiłem, ale chyba mi nie uwierzyli. Mam tego trochę własnych, powiedziałem, że wszystko razem mi się nie zmieści, ciągle nie wierzyli, ale jednak mi to oddali, wariat to wariat, co się będą czepiać. Zapłaciłem, więc jeśli chcę, mogę pod tramwaj wrzucić.
- Bardzo słusznie – pochwaliłam z przekonaniem.

Dalszych konsekwencji nie było, trwałam sobie zadowolona z życia co najmniej przez dwa lata... Tak, licząc złe roki, prawie przez dwa lata.

I oto nagle ta małpa krzyknęła!

Dusza oczywiście. Symptomów zero, mimo że jeszcze jeden ząb w tak zwanym międzyczasie odmówił mi współpracy, ale jakoś łagodnie i bez skutków ubocznych, jednakże wstrętna zołza oznajmiła nagle, że przed dłuższym wyjazdem mam się zabezpieczyć.

- A co będzie – rzekła nagle złowieszczo – jeśli ci to gówno wyleci z pyska i wpadnie do morza? Ty się zastanów, dokąd jedziesz!

Za żadne skarby świata nie chciałam jej słuchać. Zelżyłam ją wszystkimi słowami, jakie przyszły mi na myśl, zmobilizowałam cały optymizm, całą lekkomyślność, cały opór przeciwko przymusowi, nie pomogło. Nie popuściła. Spać mi nie dała i zaczęła nawiązywać spółkę z dawno zwyciężoną nerwicą.

Kosztowało mnie to cztery wizyty u tej czarującej kobiety, przeurocza jest absolutnie i chyba sama na mój widok nerwicy dostaje, ponadto wszyscy fachowcy, zdaje się, że lekko otumanieni, stwierdzili, że takiego wypadku jeszcze nie było, żeby ktoś na wszelki wypadek uparł się posiadać dwie jednakowe protezy, ale skoro ma się do czynienia z szaleńcem...

A czy to ja? To ta dusza cholerna!

Skąd mam wiedzieć, co może nastąpić? Nie zamierzałam pchać się w przeszłość, ale i Wojtek, czyli Diabeł, i Marek, i te koszule przeklęte do prasowania, przez które mój mąż się ze mną rozwiódł... Za każdym razem dusza wrzeszczała wielkim głosem, a ja, jak idiotka, uparłam się nie zwracać na nią uwagi. A katastrofa pod Pasłękiem...? Pomijam już oczywiście to, że ostrzegała mnie przed poślubieniem mojego męża. Bo musiałabym się także wyrzec własnych dzieci. Jakie są, takie są, ale są moje ukochane i nie mam najmniejszego zamiaru ich się wyrzekać, a obawiam się, że bez własnego ojca... No trudno, ten dylemat życiowy został przeze mnie już dawno udeptany, co nie znaczy, że zapomniany. O, nie! Nigdy więcej nie będę jej ostrzeżeń lekceważyć! Nawet, gdybym miała robić cztery sztuczne szczęki na zapas.

A co do dentystki, to czuję się w obowiązku powiadomić wszystkich, że posiadam niesympatyczną cechę, być może fizjologiczną. Nie wiem, jak ją nazwać. Miarę na szczękę bierze się czymś, ściśle kojarzącym się dla mnie z zagipsowaniem gęby na zawsze przed rozstrzelaniem. Przypominam, że jestem przedwojenna. Jakiekolwiek ciało obce, wpychane mi do pyska, dusi mnie absolutnie na śmierć i trwa to od niemowlęctwa, od opisywanych już przeze mnie tych kretyńskich łyżeczek, prób pędzlowania migdałków i innych takich przyjemności. W tej kwestii nie będę się powtarzać. Kogo interesuje, niech sobie przeczyta pierwszy tom, może jakoś przetrzyma. Ciekawe. Od niemowlęctwa. A wojna wybuchła, kiedy miałam siedem lat. Jasnowidzenie to było czy jak...?

Żeby się jednak nikomu nie wydawało, że same obrzydliwości nas spotykają, informuję o otrzymaniu tajemniczym sposobem tajemniczego zaproszenia, które zainteresowało mnie tak niezmiernie, że postanowiłam z niego skorzystać. Zrozumiałam, iż pochodzi od fanów i nie nosi charakteru oficjalnego, zatem ryzyk-fizyk, spróbuję. Mimo nie najlepszego samopoczucia, jak zwykle uzależnionego od pogody.

O, nie rozczarowałam się.

Fani wpadli w dziki szał, aż się przestraszyłam. Pasowanie nowych członków na fana za pomocą przykładnicy, chciał nie chciał, przeze mnie, co i tak uważam za wręcz niezasłużony zaszczyt, wzmożone zostało całowaniem pierścienia osoby pasującej, co mnie mocno zaskoczyło. Gdybym wiedziała, że wpadną na taki pomysł, znalazłabym niewątpliwie gdzieś w domu odpowiednich rozmiarów torobajdło, chociażby posłużyłabym się pierścionkiem, odziedziczonym po Teresie, uwiecznionym w „Bocznych drogach", tym z koralami, zawsze coś i z daleka go widać, a bez niego tak wygląda, jakby mnie w amoku całowali po rękach. Jeszcze jednostki płci męskiej ludzka rzecz, przypominam, że przedwojenna jestem i żadne to dla mnie dziwo, ale dziewczyny...?! Usiłowałam poczuć się jak moja własna prababka, ale chyba źle mi wyszło, nawet jednej babci nie zdołałam dosięgnąć.

Pieśni stworzonych z moich utworów nie będę cytować, chociaż szczerze mi żal, ale czy ja wiem, może to nie wypada? Szkoda. Ale stwierdzam, że okazały się zachwycające i żadna poezja, szczególnie współczesna, w ogóle się do nich nie umywa. Ponadto wyszło na jaw, że wreszcie mamy w tym uroczym gronie osobnika o najwłaściwszym chyba pseudonimie, mianowicie osobnik zwie się Szkorbut.

Między nami mówiąc, z twarzy nikt by nie odgadł, ale ucieszyło mnie to bezgranicznie.

Cichym szeptem i w cztery oczy wyjawię tajemnicę, za którą Małgosia z Witkiem pewnie zrobią mi awanturę, a co tam, trudno, niech się narażę. Obydwoje odżałować nie mogli, że przedtem zjedli obiad i na co im to było, skoro zaserwowane produkty spożywcze były znakomite, a oni nie dali rady ich skonsumować w pożądanej ilości.

Największą nadzieją wraz ze stosownym rozczuleniem napełniła mnie obecność najmłodszego fana w objęciach rodziców, grzecznego tak, że aż to się wydawało podejrzane. No proszę, jakie młode pokolenie rośnie! Frajdę mi zrobili, jak rzadko!

W obliczu wszystkiego, co napisałam powyżej, wyjąwszy oczywiście fragment ostatni, w moim odczuciu zdecydowanie promienny, tytuł całej reszty wydaje mi się jak najbardziej właściwy. Co absolutnie nie znaczy, że ogólny optymizm we mnie zdechł. O, żadne takie! Jestem absolutnie pewna, że nic nie trwa wiecznie, nasze historyczne doświadczenia w pełni na to wskazują. Nawet na północy Grenlandii słońce kiedyś wschodzi. I należy to koniecznie wziąć pod uwagę.

Koniec

Bibliografia dotychczasowej twórczości
Joanny Chmielewskiej

Klin 1964

☆

Wszyscy jesteśmy podejrzani 1966

☆

Krokodyl z Kraju Karoliny 1969

☆

Całe zdanie nieboszczyka 1972

☆

Lesio 1973

☆

Zwyczajne życie 1974

☆

Wszystko czerwone 1974

☆

Romans wszech czasów 1975

☆

Większy kawałek świata 1976

☆

Boczne drogi 1976

☆

Upiorny legat 1977

☆

Studnie przodków 1979

☆

Nawiedzony dom 1979

☆

Wielkie zasługi 1981

☆

Skarby 1988

☆

Szajka bez końca 1990

☆

2/3 sukcesu 1991

☆

Dzikie białko 1992

☆

Wyścigi 1992

☆

Ślepe szczęście 1992

☆

Tajemnica 1993

☆

Wszelki wypadek 1993

☆

Florencja, córka Diabła 1993

☆

Drugi wątek 1993

☆

Zbieg okoliczności 1993

☆

Jeden kierunek ruchu 1994

☆

Autobiografia 1994, 2000, 2006, 2008

☆

Pafnucy 1994

☆

Lądowanie w Garwolinie 1995

☆

(Nie)Boszczyk mąż 2002

☆

Pech 2002

☆

Babski motyw 2003

☆

Las Pafnucego 2003

☆

Bułgarski bloczek 2003

☆

Kocie worki 2004

☆

Mnie zabić 2005

☆

Przeciwko babom! 2005

☆

Krętka Blada 2006

☆

Zapalniczka 2007

☆

Traktat o odchudzaniu 2007

☆

Rzeź bezkręgowców 2007

Czytelników zainteresowanych kupnem książek Joanny Chmielewskiej w systemie sprzedaży wysyłkowej prosimy o kierowanie zamówień pod adresem:

L&L Firma Dystrybucyjno-Wydawnicza Sp. z o.o.
80-298 Gdańsk ul. Budowlanych 64 f
tel. 058 520 96 21
fax 058 344 13 38
www.ll.com.pl

Harpie . . . . 35,50 zł/egz.

Złota mucha . . . . 34,50 zł/egz.

Najstarsza prawnuczka . . . . 35,00 zł/egz.

Depozyt . . . . 29,90 zł/egz.

Przeklęta bariera . . . . 36,00 zł/egz.

Trudny trup . . . . 33,50 zł/egz.

Jak wytrzymać ze sobą nawzajem . . . . 25,00 zł/egz.

(Nie)Boszczyk mąż . . . . 36,00 zł/egz.

Pech . . . . 34,50 zł/egz.

Babski motyw . . . . 32,50 zł/egz.

Las Pafnucego . . . . 49,00 zł/egz.

Bułgarski bloczek . . . . 33,50 zł/egz.

Kocie worki . . . . 33,50 zł/egz.

Mnie zabić . . . . 29,00 zł/egz.

Przeciwko babom! . . . . 26,00 zł/egz.

Krętka Blada . . . . 33,50 zł/egz.

Autobiografia t. 1 . . . . 35,00 zł/egz.

Autobiografia t. 2 . . . . 37,00 zł/egz.

Autobiografia t. 3 . . . . 35,00 zł/egz.

Autobiografia t. 4 . . . . 36,00 zł/egz.

Autobiografia t. 5 . . . . 34,50 zł/egz.

Autobiografia t. 6 . . . . 37,00 zł/egz.

Autobiografia t. 7 . . . . 37,00 zł/egz.

Zapalniczka . . . . 34,90 zł/egz.

Traktat o odchudzaniu . . . . 26,00 zł/egz.

Rzeź bezkręgowców . . . . 34,50 zł/egz.

Uwaga!

Prosimy o nieprzysyłanie pieniędzy w listach. W cenę detaliczną wliczony jest koszt dostarczenia przesyłki. Płatność przy odbiorze. Realizacja zamówienia – 7–14 dni.

Sprzedaż aktualna do wyczerpania nakładu.